Une robe couleur du temps

BIANCA TURETSKY

Une robe couleur du temps

Tome 2

Traduit de l'anglais (États-Unis)
par
Florence Bellot

hachette

L'édition originale de cet ouvrage a paru en langue anglaise (États-Unis)
chez Poppy, an imprint of Little, Brown Books for Young Readers,
sous le titre :

THE TIME-TRAVELING FASHIONISTA – BOOK 2 –
THE TIME-TRAVELING FASHIONISTA AT THE PALACE OF MARIE ANTOINETTE

This edition published by arrangement with Little, Brown Books for Young Readers / Hachette Book
Group, Inc., New York, New York, USA. All rights reserved.

Texte – copyright © 2012 by Bianca Turetsky.
Illustrations – copyright © 2012 by Sandra Suy.

Traduit de l'anglais (États-Unis) par Florence Bellot.

© Hachette Livre, 2012, pour la traduction française.
Hachette Livre, 43 quai de Grenelle, 75015 Paris.

Pour Cindy Eagan.
Dâââling, tu es la meilleure.

« Je crois que s'amuser à se déguiser
commence à l'âge de cinq ans
et ne s'arrête jamais. »

KATE SPADE
*Créatrice de vêtements
et de sacs à main*

CHAPITRE 1

Louise est seule dans la forêt. Il fait sombre. Elle n'est jamais allée dans ce bois auparavant, elle en est certaine. Elle est en terre inconnue. Le martèlement des sabots s'atténue peu à peu dans le lointain, et elle s'arrête de marcher, puis plisse les yeux pour mieux voir dans la faible lueur. Dix femmes vêtues d'antiques capotes en velours émergent de l'ombre et s'approchent de Louise pour former un cercle autour d'elle. Elle reste sur le qui-vive, sans broncher : elle est terrifiée, mais elle ne veut pas qu'elles le sachent. Elle tremble intérieurement, pourtant quelque chose lui dit qu'elle est maîtresse de la situation, que ces femmes sont ici pour la servir. L'une des silhouettes encapuchonnées se jette sur Louise et lui ôte la capeline en velours rouge qu'elle s'était enroulée autour des épaules, puis laisse choir la précieuse étoffe dans la boue. Louise distingue un bruit d'orage au loin. Une tempête approche.

Les femmes la conduisent dans une cabane en bois dont l'intérieur est décoré à la façon d'un salon raffiné, tapissé de brocart bleu roi. Louise a désormais l'impression de jouer un rôle dans un rituel très ancien. Un shih tzu blanc miniature la suit comme son ombre, essayant de se cacher dans les plis de sa longue crinoline. Soudain les femmes se déchaînent pour lui arracher ses vêtements, s'agrippant et tirant à tout-va. Elles déchirent sa belle robe couleur ivoire et la réduisent en charpie, alors qu'elle reste plantée là, impuissante. *STOP !* hurle Louise dans sa tête tandis qu'une femme lui arrache les rubans de satin jaune de sa coiffure. Une autre femme prend le chien qui jappe de détresse dans ses bras et quitte la pièce en toute hâte avant que Louise ne puisse intervenir. Les femmes lui enlèvent tout et jettent les vêtements sur le sol, même le bracelet délicat en or et rubis qui ornait son poignet délicat. *Laissez-moi tranquille ! Au secours !* Louise s'efforce de réprimer ses larmes de rage brûlantes alors que les mots qu'elle essaye de prononcer s'étranglent dans sa gorge.

La femme la plus âgée, qui semble avoir l'autorité sur le groupe, fait signe aux autres d'arrêter. Puis, avec révérence, elle présente une nouvelle robe à Louise, un vêtement ancien superbe, coupé dans une soie bleu-vert poudrée qui ressemble à du velours liquide, plus subtil que tout ce qu'elle a jamais possédé. Une autre femme ramène avec douceur ses cheveux en arrière et les attache avec un long ruban de soie blanc, tandis qu'une troisième lui passe autour du cou un pendentif en diamants et saphirs enfilés sur une chaîne en argent scintillante. Cependant, en dépit de ses nouveaux atours luxueux elle a toujours peur, seule dans ce lieu étrange au fond des bois, loin de tout ce qui lui est familier. Elle sait que tout cela a été planifié et que sa vie est sur le point de changer pour toujours. Elle n'est plus la même jeune fille.

***

Louise Lambert se réveilla en sursaut. Elle était en sécurité, dans son lit.

Les tonalités sombres d'une pièce de musique classique emplissaient sa chambre. *Comment cela se faisait-il qu'on était déjà le matin ?* Elle se frotta les yeux du revers de la main et bâilla. Parfois ses rêves étaient si mouvementés que Louise avait l'impression de ne pas pouvoir dormir du tout. Elle jeta un coup d'œil à son radio-réveil luminescent : 7 h 17. L'heure de démarrer une nouvelle journée d'école.

Louise aimait se réveiller aux sons d'une symphonie. Ainsi pouvait-elle prolonger un peu le monde de ses rêves, sans être brutalement rappelée à la réalité. Elle était alors transportée quelque part, n'importe où. Elle se remémora ses aventures nocturnes et eut, sur-le-champ, le sentiment de se retrouver dans cette pièce tapissée de brocart bleu, se cramponnant à la robe ivoire que les femmes lui avaient retirée, représentant sa vie passée, si loin de chez elle. *Mais dans quelle maison exactement ? Et quelle vie passée ?* Ces femmes dans les bois donnaient la chair de poule, et voulaient la transformer en une autre personne. Pourtant, à la fin, ce n'était pas tout à fait un cauchemar, parce qu'elles lui faisaient revêtir une robe encore plus somptueuse que la sienne et la paraient de bijoux. Elle aurait juré sentir encore le chatouillement de leurs mains gantées de soie qui lissaient doucement ses cheveux en arrière. Cependant elle gardait de toute la scène un sentiment de malaise. *D'où venaient donc ces images ?* se demanda-t-elle en se calant contre ses oreillers en plume. Elle sortit son journal relié en cuir rouge vif et ses stylos de couleur du tiroir de sa table de nuit, puis commença à tracer une esquisse de la robe bleu-vert pâle avec sa jupe à crinoline et son corset ajusté avant qu'elle ne s'efface complètement de sa mémoire. Elle aurait peut-être pu trouver quelque chose de similaire dans son dictionnaire illustré du vintage, qu'elle surnommait avec gourmandise sa « bible de la mode ». Elle se mit à feuilleter les pages écornées de *Comment bien acheter vintage : le guide essentiel de la mode*, où défilèrent les imprimés multicolores de Missoni et les créations excentriques d'Elsa Schiaparelli...

— Louise ! Petit déjeuner ! claironna la voix teintée d'accent britannique de sa mère à travers le silence de la maison.

Elle bondit hors de son lit douillet à baldaquin et troqua son pyjama rayé rouge et blanc contre une robe de Mavi en maille gris chiné (tout en rêvant que ce soit un modèle original années 1970 de Diane von Fürstenberg, la reine de la robe drapée en maille fluide), un cardigan en dentelle noire Zac Posen pour Target qu'elle avait préparés la veille, et, comme toujours, ses Converse rose flashy.

Elle arracha machinalement la feuille de son calendrier astrologique dédié au signe de la Vierge, dans l'espoir d'y lire de bons conseils pour sa journée. Ce n'était pas qu'elle croyait dur comme fer aux prévisions astrologiques, elle ne croyait pas non plus spécialement aux voyages dans le temps, mais elle était convaincue d'en avoir fait l'expérience quelques semaines auparavant. Donc elle ne savait plus trop ce qui était réel ou pas. *Vos valeurs seront mises à l'épreuve, accrochez-vous à ce qui vous rend vraiment heureuse. Le reste n'est que le glaçage sur le gâteau.* Hum… d'accord… Ses valeurs étaient mises à l'épreuve chaque jour au collège de Fairview, donc c'était plutôt bien vu. Ce qui la rendrait vraiment heureuse, ce serait de ne pas aller en cours et de farfouiller sur eBay et Etsy à la recherche du petit chapeau tambourin parfait ou d'un accessoire vintage génial et unique. Dire que l'attendait au rez-de-chaussée un bol de porridge blanchâtre tiédasse auquel elle ne pourrait pas couper…

— Petit déjeuner ! retentit de nouveau la voix dans la vaste maison vide.

Sa mère était persuadée que l'univers allait s'arrêter si elle n'ingurgitait pas son bol matinal de porridge baveux !

— Je descends tout de suite ! répondit-elle en sortant son vieux Polaroïd de sa commode en chêne clair.

Le gros appareil était une relique qui avait appartenu à son père dans les années 1980. Elle l'avait découvert dans une malle à la cave. Elle avait été obligée de commander des pellicules hors de prix sur Internet, car Polaroïd ne les fabriquait plus, mais elle trouvait que cela en valait la peine. Elle adorait le côté cotonneux et brouillé de ces clichés instantanés crachés à grand bruit par l'appareil. On aurait dit qu'ils étaient tout de suite anciens. Et pour Louise, c'était parfait. Pour dire les choses simplement, Louise était obsédée par tout ce qui était vintage. Elle avait hérité de sa mère son goût pour les films classiques, mais à la différence de celle-ci, elle avait surtout développé une obsession pour la mode de ces époques révolues. Son dressing, de dimension respectable, se remplissait à vitesse grand V de ses trouvailles dégotées dans les friperies de toutes sortes.

Elle pointa l'appareil vers son visage et sourit, mais d'un sourire hésitant, avec les lèvres un peu pincées d'une fille à la bouche bourrée de bagues. Elle appuya sur le déclencheur. C'était son rituel quotidien, commencé quelques mois auparavant, juste après l'anniversaire de ses douze ans, un journal visuel dont elle avait l'intention de faire un livre, plus tard. Elle data du 5 juin la photo en cours de développement, encore toute grise, et la fourra dans son tiroir à chaussettes, pile au moment où l'image apparaissait.

Louise aperçut l'invitation des Fashionistas Voyageuses couleur vert pâle, partiellement dissimulée sous son collant à côtes bleu marine, et la prit pour relire le message qui lui était désormais familier, parcourue de petits picotements d'excitation.

Louise le savait très bien : elle avait toujours la même apparence qu'avant la première vente vintage des Fashionistas Voyageuses. Même poitrine plate comme une limande, cheveux châtains frisottés ramenés en arrière, bagues immondes sur les dents. Cependant elle avait l'impression d'avoir changé intérieurement.

La première invitation, sur un épais papier couleur lavande, était arrivée mystérieusement, sans adresse sur l'enveloppe ni timbre, par un banal après-midi d'avril. Elle s'était rendue au lieu indiqué dans Chapel Street, qui lui était parfaitement inconnu jusqu'alors, sans trop savoir à quoi s'attendre, car elle était la seule parmi ses amies à avoir été conviée. Dès qu'elle était entrée dans la boutique étrange, elle avait été éblouie par l'incroyable choix

Vente vintage pour les Fashionistas Voyageuses

VENEZ NOUS RENDRE VISITE – SAMEDI UNIQUEMENT

Vêtements fabuleux
Accessoires somptueux
Et conseils mode gracieusement fournis

37 SPRING STREET

de midi au crépuscule

INVITATION VALABLE POUR UNE PERSONNE
ET STRICTEMENT PERSONNELLE

de vêtements, de chaussures et d'accessoires de toutes les époques et designers vintage qu'elle idolâtrait. La boutique en fouillis était tenue par deux vendeuses excentriques hautes en couleur, Marla et Glenda, qui l'avaient laissée avec quelque réticence essayer la plus fabuleuse des robes de soirée, rose et scintillante, qui lui alla à la perfection. Peut-être un peu trop parfaitement, car avant qu'elle ne s'en soit rendu compte, elle s'était retrouvée dans la peau d'une certaine Miss Alice Baxter, la précédente propriétaire de la robe (et qui s'était révélée être en fait sa grand-tante !), embarquée sur un bateau une centaine d'années auparavant. Oh, et l'autre petit détail important : ce bateau était… le *Titanic* ! Ce qui avait commencé comme la quête de la robe idéale pour le bal du collège de Fairview s'était transformé en quelque chose de bien plus époustouflant et incroyablement aventureux.

C'était comme si sa vie s'était enfin décidée à se réveiller et à s'améliorer. Pour des raisons qu'il lui restait encore à comprendre, Louise avait été choisie pour recevoir ces invitations. Peut-être était-elle destinée à mener une existence excitante, comme si ses douze ans d'attente n'avaient pas été en vain. Selon la lettre de Marla et Glenda qu'elle avait reçue par la suite, elle était désormais une Fashionista. L'invitation à la seconde vente avait été épinglée à leur petit mot et déposée sur sa table de nuit.

— Dernier avertissement, Louise Lambert !

Elle pouvait se perdre dans ses souvenirs et ses rêveries pendant des heures, mais là, il fallait qu'elle attrape son bus. Elle prit son sac à dos violet délavé et fonça dans l'escalier dont les lames de parquet craquaient, rassemblant ses forces pour subir la torture de l'absorption d'un nouveau petit déjeuner sain et équilibré.

CHAPITRE 2

— Treize ans, c'est énorme. Je veux dire, je suis officiellement ado ! claironna Brooke Patterson, plantée devant le miroir fixé à la porte de son casier pour appliquer du gloss parfum fraise sur sa bouche en cœur d'un rouge déjà parfait. Douze ans, c'est encore genre bébé, sans vouloir te vexer, Louise.

— Ça ne me vexe pas. Et puis le genre bébé j'aime assez, en fait. Je ne suis pas encore prête à ranger Ma maison de rêve Barbie, plaisanta Louise (sans vraiment plaisanter, en réalité). Évidemment, j'imagine que tu ne voudras pas traîner avec moi cet été, alors que tu auras treize ans et que je serai encore une naine de douze ans, ajouta-t-elle en tortillant une mèche de cheveux qui s'était sauvée de sa queue-de-cheval.

Louise scruta avec anxiété son amie, vêtue d'un tee-shirt gris chiné décolleté, avec un petit élan Abercrombie brodé sur la poche, d'une mini-jupe en denim noir,

de leggings noirs et de bottes Ugg beiges (même si la température extérieure avoisinait les vingt degrés). Le hall bondé était une véritable cacophonie de claquements de portes de casiers, de profs hurlant et de couinements de semelles de baskets sur le lino couleur marécage glauque.

Elle détestait que sa meilleure amie prenne ses distances avec elle, et pourtant ça ne manquait jamais.

Brooke le faisait depuis qu'elles étaient bébés. Et elle le ferait encore au moins pendant les trois mois qui restaient jusqu'à ce que Louise ait treize ans à son tour. Cette dernière jouait d'ailleurs encore parfois avec ses vieilles Barbie, qu'elle avait gardées cachées au fond de sa penderie dans une antique malle noire qui avait appartenu à sa mère. Mais les scénarios avaient plus de maturité, du genre aventures de détectives et baisers entre Barbie et Ken.

— Bof, ça n'a pas d'importance, c'est juste un chiffre, fit Brooke en soupirant, alors que de toute évidence elle pensait le contraire.

— Exactement, affirma Louise. Et puis treize, ça porte malheur. Dans certains pays, il n'y a pas d'arrêt treizième étage dans les ascenseurs. Donc si ta vie, c'était un immeuble, tu resterais bloquée à douze, comme moi. Ou tu serais déjà à quatorze.

— Un ascenseur ? Qu'est-ce que tu racontes, Lou ? s'étonna Brooke, tout en envoyant un dernier baiser plein de gloss à son miroir. Tu es jalouse ?

— Oui, reconnut Louise avant d'éclater de rire avec son amie.

— Bref, il faudra que ma fête soit giga énorme. Historique. Qu'elle soit répertoriée dans les albums du collège de Fairview comme la fête d'anniversaire la plus fabuleuse de tous les temps. Point.

— Tu devrais trouver un thème ! s'exclama soudain Louise avant de baisser brusquement le nez sur ses Converse roses.

Ouh là ! N'était-ce pas une suggestion un peu infantile, songea Louise. Le genre de truc auquel seule penserait une enfant de douze ans ?

— J'adore ! couina Brooke.

— Une soirée habillée, par exemple, proposa Louise en souriant. Tu pourras préciser sur les invitations que les filles doivent venir en robe et que les garçons n'auront le droit d'entrer que s'ils sont en costume et cravate. Enfin, en cravate, au moins.

— Parfait ! Comme un bal de promo, sans en être un.

— Exactement ! renchérit Louise, ravie d'avoir lancé l'idée.

— Tu pourras peut-être trouver quelque chose à te mettre à la prochaine vente Fashionista ? demanda Brooke, un peu hésitante.

— Peut-être…

Depuis l'aventure de Louise en tant que Miss Baxter à bord du *Titanic*, sa meilleure amie, qui n'avait jamais rien acheté de sa vie en dehors d'un centre commercial ou d'un grand magasin, avait soudain commencé à s'intéresser à sa collection vintage. Louise était persuadée que c'était parce que son amie la pensait folle et qu'elle voulait garder un œil sur sa santé mentale. Brooke, ce n'était pas surprenant, ne croyait pas vraiment à l'histoire abracadabrante de Louise, selon laquelle elle avait passé quelques jours stupéfiants à bord du navire de triste mémoire, à vivre la vie de sa grand-tante Alice, une actrice superbe et fabuleusement riche. Brooke l'avait accompagnée à la vente, et pour elle, Louise avait perdu connaissance en raison d'une forte fièvre. Même quand Louise avait montré à son amie la vieille photo noir et blanc assez floue où elle figurait, tirée d'un journal, trouvée sur Internet et prise sur le pont d'un bateau nommé *Titanic* de la compagnie White Star, le 12 avril 1912, Brooke ne l'avait pas davantage prise au sérieux. Louise devait bien admettre que la photo était floue, mais elle savait au plus profond d'elle-même que c'était elle sans le moindre doute sur ce cliché, à côté de Jacob et Madeleine Astor, même si elle ne pouvait l'expliquer d'aucune façon rationnelle. Elle avait au moins cette preuve pour elle. Elle savait qu'elle n'était pas folle. *D'accord ?*

Après la réaction sceptique de Brooke, Louise n'avait montré cette photo à personne, pas même à ses parents. De toute façon, ils ne l'auraient certainement pas crue.

Dans le cas contraire, elle ne voulait pas passer le reste de son année de cinquième dans un laboratoire, branchée à des électrodes pour servir de cobaye à des expériences de voyages temporels. Elle avait su d'instinct que celle vécue avec les deux stylistes sorcières rencontrées à la vente vintage magique était quelque chose de spécial dont il valait mieux ne pas parler. Surtout si elle voulait être sûre d'aller à la seconde vente, étant donné que Marla et Glenda possédaient la plus fantastique collection de vêtements vintage de créateurs que Louise avait jamais vue. Et puis elle était aussi très excitée à la perspective de voyager peut-être encore dans le temps.

— On verra bien, quand je recevrai l'invitation. Si j'en reçois une, reprit Louise en croisant les doigts derrière son dos, car ce n'était pas tout à fait vrai.

Elle avait déjà eu la prochaine invitation, déposée sur sa table de nuit dans la soirée où elle s'était réveillée de sa soi-disant hallucination causée par une sévère intoxication alimentaire, après avoir mangé les rillettes de crabe pas très fraîches que Marla l'avait obligée à goûter à la vente des Fashionistas. Enfin, c'est ainsi que ses parents avaient trouvé une explication rationnelle à toute l'histoire. Elle appréhendait un peu d'y retourner une deuxième fois, mais la perspective d'un nouvel événement excitant dans son quotidien par trop banal (la découverte d'un kilt original de Vivienne Westwood, d'une robe style flamenco de Balanciaga ou encore d'une quelconque rareté merveilleuse) faisait taire ses craintes.

Louise réalisa que c'était la première fois qu'elle cachait délibérément quelque chose à Brooke. Du coup, elle se sentit à la fois un peu mal à l'aise, et un peu spéciale. C'était à elle que cela arrivait, et à elle seule, du jamais-vu ! Et elle avait envie que cela continue, au moins un petit moment. D'abord, Brooke se fichait un peu de la mode vintage. Ensuite, c'était elle, *Louise*, qui avait été choisie.

— OK, cool, répondit Brooke en trifouillant ses boucles dorées avec ses doigts roses manucurés.

Eh oui, elle avait des boucles d'or.

D'habitude, c'était Brooke l'Élue. L'élève parfaite, inscrite à pratiquement toutes les activités facultatives proposées par le collège, club d'échecs et atelier de maths exceptés. Atrocement mignonne sans avoir besoin d'en rajouter, à tel point que les camarades, les profs, les parents et toutes les autres créatures vivantes ne pouvaient pas NE PAS l'aimer. Avec ses longs cheveux bouclés aux mèches ensoleillées (qui par miracle resplendissaient d'un éclat scintillant même au cœur de l'hiver au Connecticut) et ses yeux bleu clair, Brooke n'avait jamais traversé ce que la mère de Louise qualifiait gentiment de « phase particulière ». Ce qui, dans le cas de Louise, était de toute évidence un euphémisme pour « ces horribles années de l'âge ingrat ».

Et Louise avait fortement l'impression d'y être engluée pour une durée indéterminée. Peu importait la quantité de conditionneurs anti-frisottis et de sérums sophistiqués qu'elle s'appliquait consciencieusement sur les cheveux, ils ne voulaient rien entendre après avoir été imbibés de chlore pendant les deux heures quotidiennes d'entraînement de natation infligées par l'entraîneur Murphy. Elle avait aussi l'impression que ces séances épuisantes avaient un rapport avec son soutien-gorge taille mini toujours désespérément trop grand, et son absence de règles. Qu'elle attendait uniquement pour se prouver qu'elle était comme toutes les filles de presque treize ans. Cerise sur le gâteau, il fallait qu'elle attende encore trois mois, deux semaines et six jours avant qu'on lui retire ses bagues. Oh, non, ne croyez pas qu'elle effectuait un compte à rebours !...

— Bon, je vais être en retard à mon cours de gym, dit Brooke en entendant la sonnerie, claquant la porte de son casier pour la refermer.

Louise ne put s'empêcher de sourire. C'était typique de sa meilleure amie : passer un quart d'heure à se pomponner avant d'aller jouer à la balle au prisonnier...

— On se retrouve dans le bus ! cria-t-elle avant de partir en courant.

— Oh, pas besoin de me le rappeler ! grommela Louise.

Le trajet en bus scolaire était en ce moment le fléau de leur existence. En effet, cette année Billy Robertson se faisait un devoir de les harceler pendant les trajets, critiquant surtout ses vêtements vintage. Il trouvait que son style original était « un truc de vieux » et « tout pouilleux ». Selon les connaissances expertes de Brooke, il s'agissait de sa manière de flirter, mais selon celles très limitées de Louise, c'était tout bonnement hypergênant.

Aujourd'hui en particulier, elle ne se sentait pas trop au top. Alors qu'elle dégustait un Twix interdit après son déjeuner, d'autant plus divin que le mélange chocolat-caramel collant était voué aux flammes de l'enfer par son orthodontiste, Louise sentit que le fil des bagues de ses dents du haut n'y avait pas résisté. En fin d'après-midi, elle s'était retrouvée avec des bajoues de hamster, après s'être appliqué de la cire spéciale un peu partout pour ne pas sentir le fil arraché… jusqu'à ce qu'elle puisse se précipiter au cabinet d'orthodontie après les cours, pour un rendez-vous dépannage d'urgence.

Alors pourquoi fallait-il qu'elle tombe sur Todd Berkowitz à ce moment précis ? Quelque chose de bizarre lui était arrivé après avoir incarné Miss Baxter. Depuis… eh bien, il ne lui était pas indifférent. Todd ne s'était pas subitement transformé de grenouille hirsute en prince du skateboard avec baggy, mais l'état d'esprit de Louise, il avait changé. Elle avait du mal à l'admettre, pourtant elle avait envie d'être à son avantage quand elle le croisait. Alors qu'elle avait passé jusqu'ici ses années de collège à l'éviter. Il avait fallu un voyage dans le passé, en 1912, pour qu'elle réalise que Todd n'était peut-être pas l'homme de ses rêves, mais un copain plutôt cool, finalement.

Elle se remémora leur slow, juste après son aventure sur le *Titanic*. Dire qu'elle avait eu la trouille de remettre la robe de Lucille, par crainte de se retrouver sur le navire. Mais non. Elle était restée là où elle était. La robe devait avoir joué son rôle et c'était terminé, voilà tout. En fait, Todd et elle n'avaient pas vraiment dansé, ils s'étaient juste déplacés au rythme de la musique. Elle ne s'en était rendu compte qu'après, mais elle avait retenu sa respiration pendant les trois minutes que durait la chanson, et elle avait été obligée d'essuyer discrètement ses mains sur sa robe rose vintage au moment où Todd et elle s'étaient séparés avec maladresse, alors qu'elle transpirait comme une bête et que le DJ passait sans transition à un titre de Beyoncé. Tout d'un coup, Todd Berkowitz réussissait à lui faire perdre ses moyens ! C'était super énervant ! Et inattendu !

D'ailleurs, même si l'on pouvait considérer techniquement qu'ils étaient allés au bal ensemble, parce que Todd lui avait demandé officiellement d'être sa cavalière, Louise avait passé la majeure partie de la soirée avec Brooke et d'autres filles de leur classe qui étaient venues toutes seules ou avaient laissé choir leur cavalier. Elles s'étaient regroupées autour du bol de punch, parce que là on rigolait plus. Et ils avaient beau être un soi-disant couple, cela n'avait pas empêché Todd de danser des slows avec Tiff Freedman, sous les yeux de Louise qui ingurgitait verre après verre du punch aux fruits trop sucré. Elle avait cru qu'aller à un bal avec quelqu'un impliquait que ce quelqu'un ne dansait pas de slows avec d'autres filles. Apparemment, elle avait tout faux.

Depuis cette soirée, Todd et elle se fréquentaient un peu plus au collège. Mais ça ne ressemblait en rien aux vieux films que Louise regardait, où le garçon offrait son blouson de sport ou la bague de son année de promo à la fille, qui comprenait alors, ainsi que tout l'entourage, que les choses prenaient une tournure différente. Non, là, elles étaient juste un tout petit peu différentes.

Le ricanement de hyène de Todd retentissant dans les couloirs la rappela brutalement à la réalité. Louise et ses joues de hamster se cachèrent derrière la porte de son casier. Ouf ! Juste au moment où il passait devant, ses cheveux auburn en bataille lui tombant partiellement sur les yeux, enfoui dans son sweat-shirt gris à capuche, sautillant dans ses baskets New Balance. Il rigolait et plaisantait avec Tiff Freedman. Il portait son skateboard tout défoncé sous un bras, et des livres sous l'autre. *Ceux de Tiff ?*

Tiff Freedman venait de déménager, elle arrivait de Californie. Elle portait des blouses d'inspiration folklorique et des jeans à patte d'éléphant. Avec des Birkentock.

Tous les jours. Même l'hiver, mais avec des chaussettes en laine. Elle devait adorer le camping et la musique folk. Elle avait de longs cheveux blonds nuance miel, super raides, qui, à la différence des pointes fourchues et frisottées de Louise, n'avaient jamais dû rencontrer le moindre fer à lisser. C'était indéniable, elle était belle naturellement. Point. Comme une Joni Mitchell d'aujourd'hui, l'une des chanteuses folk des années 1970 préférées de sa mère. Louise en était convaincue : Tiff était tout ce qu'elle n'était pas, et ça la rendait plutôt malheureuse en ce moment.

Elle attrapa son livre de maths recouvert en papier kraft, désormais presque complètement décoré d'esquisses de mode aux crayons de couleur, et le fourra à toute vitesse dans son vieux sac à dos violet avant de filer dans la direction opposée pour son dernier cours de la journée.

CHAPITRE 3

Quand son père rentrait à l'heure pour le dîner, elle savait qu'il y avait un problème. Sa mère était toujours anxieuse, mais Louise sentit que ce soir elle l'était plus qu'à l'habitude. Elle fourrageait avec bruit dans sa cuisine caverneuse afin de déposer ensuite sur la table ses créations bouillies, trop cuites et insipides. Elle avait l'air incroyablement perturbée de voir son mari rentré si tôt. La maison style « cottage anglais » des Lambert, un peu défraîchie, qui craquait de partout au moindre pas, était bien trop vaste pour une famille de trois personnes. Mais on ne pouvait pas rêver mieux pour jouer à cache-cache, car les nombreuses chambres et l'escalier de service (qui devait autrefois desservir l'étage des domestiques) offraient une foule d'excellentes cachettes. Durant toute son enfance, Louise et les amis qu'elle invitait à jouer s'étaient toujours retrouvés embringués dans d'interminables parties.

— Mets le couvert, dâââârling. Ton père est rentré, ordonna Mme Lambert.

Mais Louise avait bien vu que son père était là, pas la peine de le dire !

Elle sortit du buffet trois assiettes blanches en porcelaine Wedgwood et les disposa avec soin à un coin de la longue table en acajou. Son père travaillait toujours tard dans son cabinet juridique à New York. Les rares fois où il rentrait plus tôt, il appelait de la gare de Grand Central avant de prendre son train de banlieue. Louise et sa mère l'attendaient alors, et ils allaient tous au restaurant thaï, leur cuisine préférée. Son père était autant fan de la cuisine de sa mère que Louise. Traduisez : pas du tout. Mme Lambert, qui avait grandi en Angleterre avec bonnes, gouvernantes et cuisinières, n'avait jamais eu à préparer un repas elle-même. Résultat : elle était tristement célèbre pour transformer n'importe quel aliment de base en horreur méconnaissable et immangeable.

— Coucou, ma poulette ! la salua son père en l'embrassant distraitement sur le crâne. Je redescends tout de suite.

Louise l'observa avec curiosité : mêmes lunettes cerclées, mêmes cheveux gris coupés court, même costume chic de chez Brooks Brothers, et essaya de déceler ce qu'il avait de différent tout en disposant les couverts en argent, fourchettes à gauche, couteaux et cuillers à droite.

Sa mère fit son apparition, ses cheveux blond cendré parfaitement coiffés assortis à son pull en cachemire beige. Elle portait tant bien que mal une casserole fumante d'une substance quelconque (le fumet n'aidait en rien à décoder le mystère du contenu) de la main droite, un verre de vin blanc dans la gauche.

Son père revint dans la salle à manger style vénitien, tapissée en rouge, ornée d'une rangée de portraits sinistres des ancêtres poussiéreux de leur famille, dont un tableau représentant sa grand-tante Alice Baxter dans ses vieux jours. Dommage, elle ne ressemblait en rien à la jeune femme sublime que Louise avait rencontrée sur le *Titanic* ! Il avait enfilé un vieux tee-shirt gris et bordeaux de la fac de NYU (depuis quand avait-on la permission de *mal* s'habiller pour le dîner ?), et tenait un verre à whisky rempli d'un liquide ambré où cliquetaient des glaçons.

— Mettons ça tout de suite sur le tapis, annonça M. Lambert après avoir avalé une grande gorgée de son cocktail. Il y a eu des licenciements aujourd'hui. Le cabinet a diminué de moitié. Voilà, disons que je vais voir beaucoup plus mes deux femmes préférées cet été !

— Oh, mon Dieu, soupira Mme Lambert en tortillant son collier de perles avec tant de vigueur que Louise craignit qu'elles n'aillent valser dans toute la pièce. Eh bien, j'imagine que tu vas trouver une autre place, voilà tout, n'est-ce pas, dâââârling ? s'enquit-elle avec son accent british très snob, avant de s'asseoir un peu flageolante sur sa chaise en acajou à haut dossier.

— Si tu connais un cabinet qui embauche des avocats dans la situation économique actuelle, je serai heureux d'y aller sur-le-champ avec ma serviette et mon CV. Mais d'ici là, j'ai envie d'un peu de vacances. Qu'est-ce qu'on mange ? demanda-t-il sur un ton qui laissait entendre que le sujet était clos.

Mme Lambert déposa délicatement sa serviette en lin sur ses genoux.

— Mais il faut réparer le toit, et nous venons d'acheter la Volvo… objecta-t-elle.

— Pas maintenant, s'il te plaît, chérie. Bien, qu'avonsnous ici ? Pâtes au thon surprise ? Encore un de ces grands classiques anglais !

Le père de Louise échangea en douce avec elle un regard d'étonnement feint en se servant une cuiller de nouilles grisâtres qui atterrit sur son assiette avec un curieux « floc ». Sa femme lui passa machinalement la bouteille de vinaigre de malt, le condiment dont elle arrosait tous ses plats sans exception.

— Vous savez, je vais peut-être prendre des cours de cuisine pendant mon temps libre. Je pourrais devenir monsieur Maman.

Les yeux de Mme Lambert s'agrandirent d'horreur.

— Génial ! s'écria Louise.

Elle était désolée pour son père, et en même temps excitée à la perspective de profiter un peu de lui, ainsi que
d'éventuels repas mangeables. Ils n'avaient encore jamais
eu de problèmes d'argent. Ses parents devaient bien avoir
des économies, de toute façon ?

— Et M. Patterson ? demanda Louise, se souvenant
soudain que le père de Brooke travaillait dans le même
cabinet. Il a été renvoyé aussi ?

— Non, il fait partie de l'autre moitié, expliqua son
père, son visage d'ordinaire impassible trahissant un soup-
çon d'émotion. Celle du côté obscur de la Force, ajouta-
t-il avec un sourire forcé.

Louise éclata de rire alors qu'elle tripotait avec sa fourchette l'étrange mixture gélatineuse devant elle. Mais au
fond d'elle-même, elle commençait à s'inquiéter de ce
changement qui venait de s'abattre sur sa famille. Elle
se tourna vers sa mère pour se rassurer que tout irait bien.
Mais Mme Lambert regardait dans le vague, comme si ses
soucis l'avaient déjà envoyée à un million de kilomètres
de la table du dîner.

CHAPITRE 4

— Qu'est-ce que c'est que cette chose ? cria Brooke le lendemain après les cours, en brandissant du bout des doigts un foulard en soie chamarré, comme s'il était contagieux.

La dernière trouvaille de Louise à l'Armée du Salut. Brooke avait beau faire beaucoup d'efforts pour feindre de s'intéresser à la collection vintage de Louise, ce n'était pas son truc, c'était flagrant. Elle avait dû finir par comprendre qu'elles ne partageaient pas la même passion.

— C'est super, non ? On dirait du Pucci des années 1960, ou un truc du genre ! Je l'ai eu pour trois dollars la semaine dernière, s'extasia Louise, fière de sa proie.

En général, dans les deux friperies locales, l'Armée du Salut et les Fripiers du Cœur, les seules marques qu'on était susceptible de dégoter étaient du Ann Taylor ou Talbots, spécialisées dans le « BCBG jeune maman dynamique ». Cette fois-ci, elle avait vraiment eu de la chance.

— C'est... intéressant, finit par concéder Brooke en jetant négligemment l'étoffe sur le dossier de la chaise de bureau pivotante en acajou de Louise.

Marlon, son énorme poisson rouge, évoluait en cercles paresseux dans son aquarium posé sur le bureau. Les meubles de sa chambre étaient un mélange de meubles anciens et d'Ikéa. Une haute étagère débordait déjà de romans classiques comme *Les Quatre Filles du docteur March*, de Louisa May Alcott, ou *Un raccourci dans le temps*, de Madeleine L'Engle, autant que de livres sur la mode qu'elle avait tous lus mais dont elle n'était pas encore prête à se séparer. Les vêtements de Louise, à l'envers, jonchaient la plupart des surfaces disponibles. Il lui fallait en général plusieurs essais avant de composer ses tenues d'un jour à l'autre, et souvent les pièces qu'elle avait rejetées atterrissaient sur les meubles ou son tapis d'Orient.

— Merci, on dirait presque un compliment, la taquina Louise en observant Brooke qui s'efforçait de se voir en entier dans son grand miroir, ce qui était un exploit : il était recouvert de coupures de magazines et de photos noir et blanc de Katharine Hepburn, Cary Grant et d'autres stars du Hollywood d'autrefois.

Parfois Louise avait envie de partager sa passion du vintage avec quelqu'un qui mettait aussi Christian Dior et Yves Saint Laurent sur un piédestal. Quelqu'un qui savait qu'Emilio Pucci était un couturier italien, le créateur des robes et des foulards à motifs géométriques de couleurs vives, et non pas une race de minichiens de salon quelconque, ou pire encore.

Malheureusement, la probabilité de rencontrer une telle personne dans son collège de grande banlieue était aussi élevée que de découvrir Justin Bieber dans la salle de cours de Louise, assistant au cours de littérature anglaise. Le genre de truc qui ne se produirait jamais dans cet univers. Enfin, elle avait quand même découvert de bons blogs sur le vintage et la mode, qu'elle consultait religieusement, comme « Ce que je portais » et « Style Rookie ». Donc elle ne se sentait pas totalement seule. Il y avait d'autres filles comme elle, quelque part...

Brooke s'installa sur le bord de son lit à baldaquin.

— J'ai été désolée, quand j'ai appris pour ton père, commença-t-elle tout bas, sur ce ton réservé aux trucs horribles, comme par exemple lorsqu'elle lui avait raconté qu'elle avait repéré Todd et Tiff dansant un slow au bal.

Comme si le dire à mi-voix faisait moins souffrir. Le seul résultat, c'était que Louise avait cru avoir mal entendu et que Brooke avait dû répéter la nouvelle catastrophique trois fois avant que son amie percute. Et ça faisait encore plus mal.

— Merci, répondit Louise, sur la défensive, allongée sur le lit en train de feuilleter le dernier numéro de *Vogue Ado*. Mais il n'est pas mort, il est juste au chômage pour un moment. Il trouvera un autre boulot.

Le magazine venait de démarrer une nouvelle rubrique. Il suivait une fille dans son voyage en voiture sur les petites routes à travers le pays. Elle s'arrêtait dès qu'elle voyait une friperie et se prenait en photo avec les vêtements qu'elle y trouvait. Louise aurait donné n'importe quoi pour vivre le même périple. Le magazine croirait-il jamais qu'elle avait navigué sur le *Titanic*, alors qu'elle avait pour unique preuve une photo noir et blanc trouvée sur Internet et tirée avec son imprimante ?

— Bien sûr, assura Brooke à la hâte, en tripotant un fil sorti sur le dessus-de-lit en patchwork de Louise. Je voulais juste dire que ça craint de perdre son boulot en ce moment, mais c'est l'un des meilleurs avocats de la région. Il trouvera un nouveau cabinet, j'en suis certaine.

On aurait dit que Brooke répétait la conversation de ses parents au dîner de la veille. *Est-ce que tout le monde était en train de parler de sa famille en ce moment ? Comme s'ils étaient des cas sociaux ? Ouh là là, sa mère serait mortifiée !!!*

— Bref, tu n'es pas excitée par le voyage à Paris ? demanda Brooke d'une voix enjouée pour changer de sujet.

Chaque année, la classe de cinquième français première langue partait en juin pour la France, sous la houlette de Mme Truffant, leur exubérante professeur de français. Comment elle avait réussi à convaincre le conseil d'administration de l'école de la laisser traverser l'Atlantique et encadrer seule un groupe d'enfants de douze ans surexcités et hystériques, possédant à peine quelques rudiments de vocabulaire, c'était la question que tout le monde se posait. Mais c'était de loin le meilleur moment de l'année. Et la raison principale pour laquelle l'option français était plus populaire dans ce collège que l'espagnol, ou, horreur, malheur, le latin.

— Je ne sais même plus si j'y vais. Nous sommes censés tenir un conseil de famille sur le sujet ce soir, expliqua Louise.

Quand vous êtes enfant unique et que vos parents convoquent un « conseil de famille », ça sent le roussi. Les chances que ce conseil s'extasie en long et en large sur ce voyage génial en France étaient pratiquement inexistantes.

— Lou, il faut que tu viennes ! Pour moi ! Et Todd ? Tu ne peux pas le laisser passer une frontière seul avec Tiff ! couina Brooke en bondissant hors du lit.

Louise lui avait fait un rapport complet sur ce qu'elle avait vu dans le couloir pendant leur retour en bus. C'était là un développement préoccupant, d'autant plus après que Tiff avait dansé et flirté avec Todd au bal, alors qu'elle devait bien savoir que Louise et Todd étaient... enfin, elle ne savait pas trop ce qu'ils étaient. Alors... nul besoin qu'il se greffe une compétition là-dessus. Tiff Freedman était l'ennemie pour l'instant. Point.

— Tu crois que je ne le sais pas ? se lamenta Louise (en exagérant sa lamentation).

Elle rêvait de Paris depuis qu'elle avait vu son premier sac Birkin d'Hermès dans les pages du *Vogue* anglais de sa mère. Son français était *pas mal* grâce aux innombrables heures de films qu'elle avait regardés pour essayer de copier le style de Brigitte Bardot et de Catherine Deneuve, deux de ses actrices françaises préférées des années 1960. *Très chic.*

Désormais, grâce à la récession, ses chances de faire du shopping dans la Ville lumière se réduisaient à vue d'œil, jusqu'à devenir nano-microscopiques. L'univers et le ministère des Finances s'étaient ligués contre elle, pas de doute.

— Bonne chance ! Il faut que je rentre dîner, mais souviens-toi que tu dois aller à Paris, répéta Brooke, comme si Louise avait le choix sur la question. Appelle-moi après et raconte-moi tout.

— Promis, fit Louise en soupirant.

Elle se leva et s'enroula son nouveau foulard faux Pucci autour de la tête façon turban exotique. Elle envoya deux baisers dans l'air à son amie. C'est ainsi qu'ils se disent au revoir à l'étranger, du moins dans les films.

CHAPITRE 5

La famille Lambert se réunissait dans le salon d'apparat, où Louise n'avait pratiquement pas le droit de mettre les pieds, en raison du tissu ivoire qui recouvrait les sièges, des vases anciens hors de prix et des coupes en verre disposées sur la moindre surface disponible. On aurait dit un étrange musée que personne ne visitait, sauf à l'occasion du cocktail que ses parents donnaient deux fois par an pour les membres du cabinet juridique. *Voilà un événement qui ne se reproduirait peut-être plus*, songea-t-elle.

Louise avait dû subir ce genre de réunions à deux reprises : une première fois à la mort de son grand-père, puis quand son vieux chat Bogart s'était fait écraser par une camionnette de la poste (baptisé ainsi en raison d'Humphrey Bogart, star de *Casablanca*, l'un de leurs films préférés des années 1940, avec sa mère). Pas étonnant que son estomac se retrouve au fond de ses Converse à l'annonce d'une autre de ces réunions. Pourquoi ne pouvaient-ils donc pas annoncer les mauvaises nouvelles au petit déjeuner, comme des parents normaux, au lieu de la laisser mariner toute la journée ? Ils prenaient ce genre de choses beaucoup trop au sérieux. À tel point qu'elle en serait presque surprise de ne pas voir sa mère, avec son sempiternel pull en cachemire et ses perles, perchée au bord de son fauteuil trop rembourré, armée d'un bloc-notes où elle retranscrirait les minutes de la séance, du genre : « 19 h 30. Louise Lambert entre en trombe dans le salon. »

— Vous n'avez pas assez d'argent pour m'envoyer en voyage scolaire à Paris, prédit Louise en se laissant choir sur le canapé inconfortable, munie par défi d'un bol de glace à moitié fondu parfum brownie-caramel au chocolat (*ha, ha, sacrément marron, celui-là !*) de chez Ben & Jerry's (*tremblez, les fauteuils ivoire !*). Alors débarrassons-nous tout de suite de la question.

Ses parents furent pris par surprise. Comme si elle avait gâché leur grande scène préparée. Sa mère considérait le bol de mixture fondante avec un stress maximum. Louise s'attendait presque à ce qu'elle s'excuse pour aller chercher de l'eau pétillante afin d'être prête à essuyer sur-le-champ des taches inévitables.

— Hum... hum... malheureusement, cela semble être le cas, bredouilla son père en se passant la main dans les cheveux. Tu sais que nous avons toujours encouragé tes activités extrascolaires, mais en toute honnêteté nous ne pouvons pas nous permettre cette dépense supplémentaire. Il faut en remercier Gladstone, Braden LLP.

Il leva son verre avec un geste sarcastique et avala une gorgée de son désormais quotidien cocktail d'avant dîner.

— Mais ma chérie, dès que nous retomberons sur nos pieds, nous ferons un beau voyage en famille en Europe, ajouta vite sa mère. Ce ne sera pas amusant ?

Elle glissa avec habileté un dessous de verre devant son mari, avant qu'il ne dépose son cocktail sans protection sur la table basse en chêne et n'y fasse une marque.

Ils ne voyaient donc pas à quel point ces deux options étaient différentes ?

— Génial, lâcha Louise d'un ton morne. Puis-je m'en aller maintenant ?

— J'espère que tu comprends. Je suis désolé, poulet. Vraiment.

Et c'était vrai qu'il avait l'air absolument désolé quand il ôta ses lunettes et se frotta les yeux.

— Je sais, acquiesça Louise en sentant la chaleur lui monter aux joues.

Elle ne voulait pas jouer à la fille unique pourrie gâtée, mais comment s'empêcher de penser que c'était totalement injuste ? Toute sa classe serait à Paris en train de s'amuser et d'engranger un million de blagues et d'anecdotes du genre « tu peux comprendre que si tu y étais ». Et elle serait toute seule dans sa chambre, morte d'ennui, obsédée par l'image des croissants tout frais qu'elle ne goûterait jamais. Plus elle y pensait, plus sa gorge se serrait.

— Enfin, au moins nous avons toujours bon pied bon œil, conclut son père en essayant de plaisanter.

***

Louise n'esquissa même pas un sourire. *Qu'est-ce qu'il veut dire par là ?* se demanda-t-elle en coinçant avec humeur une boucle folle derrière son oreille.

Elle reposa bruyamment son bol à moitié terminé sur la table basse et se sauva de la pièce avant de se mettre à pleurer. Il fallait qu'elle parle à sa meilleure amie.

— Je n'y vais pas ! sanglota Louise dans son téléphone des années 1980 en forme de grosse bouche pulpeuse.

Elle faisait les cent pas dans sa chambre, dans le rayon que lui autorisait le cordon tout emmêlé.

— Non ! C'est pas possible ! hurla Brooke.

Louise éloigna l'écouteur de son oreille. Aïe ! Ces vieux machins n'avaient pas de haut-parleur, dommage !

— Si. Ils ont proposé qu'on fasse ensemble un voyage en Europe quand mon père aura un nouveau boulot, expliqua-t-elle, toujours aussi interloquée que parfois les parents ne comprennent rien à rien.

— Nooon ! cria de nouveau Brooke, cette fois directement dans le cerveau de Louise. C'est trop injuste !

— Je suis bien d'accord, confirma Louise d'un ton sinistre.

Elles restèrent toutes deux un moment silencieuses, le temps de digérer la mauvaise nouvelle.

— Et dire que pendant tout ce temps j'aurais pu faire de l'espagnol, reprit Louise, se souvenant des heures interminables qu'elle avait passées à souffrir sur les verbes irréguliers et le vocabulaire français. Tout ça pour rien.

— Bon, ça pourrait être pire, la consola son amie avec diplomatie. Je veux dire qu'au moins tu n'auras pas à passer sept heures d'avion avec Billy Robertson qui t'aurait sans arrêt balancé des coups de pied dans le dossier de ton siège.

— Sûrement, grommela Louise.

C'était là une piètre consolation. Car les sept heures d'avion l'excitaient plutôt : c'était synonyme de vrai voyage.

— Bon, alors essaye de ne pas trop t'amuser sans moi, gémit-elle.

Il y eut encore un grand silence. Que dire de plus ? Pour une fois, Brooke n'eut rien à ajouter.

CHAPITRE 6

— Écoutez tous, haleta Miss Morris, comme si c'étaient là ses dernières paroles. Aujourd'hui, nous allons faire un voyage en France.

Louise regarda à la ronde les visages inexpressifs de ses camarades du cours d'histoire. S'il était médicalement possible de dormir les yeux ouverts, alors soixante-quinze pour cent de l'effectif de sa classe récupérait en ce moment avec un bienfaisant sommeil paradoxal. Miss Morris devait être la seule personne au monde capable d'offrir un voyage en France sans susciter la moindre réaction. Pas même un haussement de sourcils. Elle avait sans doute programmé ce cours en collaboration avec le voyage de Mme Truffant, mais ce n'était pas en tout cas l'expédition à l'étranger dont rêvait Louise.

Son professeur d'histoire aux cheveux blancs n'était pas vraiment habillée pour un voyage en Europe, remarqua Louise : veste en laine bouillie bleu marine, jupe crayon à hauteur du genou. Une légère variation par rapport au tailleur à l'air inconfortable qu'elle portait tous les jours, sans considération de la saison… ou de la décennie. Miss Morris était définitivement imperméable aux courants de la mode, et par malheur pour Louise la seule autre personne du collège de Fairview à porter du vintage, mais… pas le bon vintage.

Louise baissa les yeux sur la page blanche de son bloc-notes et commença à dessiner une chaussure à talon de facture ancienne, avec une grosse boucle en diamants. Elle avait l'air… française ? Elle n'en était pas trop sûre. Il faudrait qu'elle consulte sa bible du vintage quand elle rentrerait chez elle.

— Si vous croyez que nous sommes dans une mauvaise passe économique maintenant… commença Miss Morris avant d'effacer les notes de la veille sur le tableau.

Elle était à peu près la seule prof du collège à avoir refusé d'adopter le tableau blanc avec marqueurs, et s'obstinait à tout inscrire sur le tableau vert avec son écriture en pattes de mouche illisible.

Oui, je le pense, répondit Louise intérieurement, soudain assourdie par la trotteuse de la pendule de la salle de cours qui grignotait l'heure.

Clic, clic, clic.

— Alors c'est que vous n'avez jamais appris votre leçon sur la Révolution française, continua le professeur d'un ton sec.

Oups ! D'habitude Louise était très consciencieuse, mais hier soir elle avait été un peu... distraite. Elle avait veillé jusqu'après minuit, en regardant sur Internet des images de Paris, de la tour Eiffel, du Louvre, du jardin des Tuileries, des Champs-Élysées. Et elle ne verrait pas la ville de plus près que cela...

— Dans tout le pays, la population du XVIIIe siècle était accablée par une famine d'ampleur nationale et la malnutrition. La dette nationale était exorbitante, aggravée par un système d'impôts injuste qui pénalisait lourdement ceux qui pouvaient le moins payer. Le petit peuple se battait pour survivre, tandis que la famille royale vivait dans l'abondance et le luxe derrière les grilles dorées de son palais.

Louise ne voulait pas penser à une révolution qui était arrivée à des inconnus, il y avait des siècles. Elle ne pensait qu'à sa propre situation, à ce qui venait de lui tomber dessus. Qu'est-ce qui allait encore changer, maintenant que son père n'avait plus de travail ? Pour l'instant, elle ratait le voyage avec sa classe. Rien qu'à cette idée ses yeux devenaient tout brûlants et picotaient. Elle ratait la première occasion que des choses extraordinaires lui arrivent. Elle scruta son entourage et repéra son ennemi juré Billy, vautré sur son cahier, les yeux clos, en train de baver. Dans les classes de Fairview au Connecticut, le potentiel pour que se produisent des choses extraordinaires était non existant, ou presque.

— En 1789, sept mille femmes du peuple armées marchèrent sur Versailles, avec des canons, pour demander à la monarchie de remédier à la pénurie de pain. La reine Marie-Antoinette et les membres de sa famille, terrifiés, craignant pour leur vie, furent chassés de Versailles en pleine nuit. Plus tard ils furent jugés et emprisonnés dans des conditions très dures. Marie-Antoinette finit par être guillotinée, au milieu d'une foule assoiffée de sang. Sa tête tranchée fut brandie ensuite à bout de bras devant l'échafaud pour que tous puissent la voir, continua Miss Morris de son ton invariablement monotone.

Comment ? sursauta Louise, en jetant un coup d'œil à ses camarades pour voir si quiconque avait écouté et réalisé ce que le professeur venait de dire. Elle vit quelques visages surpris se relever de la torpeur générale.

— Cette jeune reine originaire d'Autriche, dont le mariage avec le roi Louis XVI avait été arrangé par sa mère dans le but de servir aux négociations avec la France, était devenue le symbole des excès et de la frivolité de la monarchie condamnée. Ses assassins ont été assez magnanimes pour ne pas brandir sa tête ensanglantée au bout d'une pique dans les rues de Paris, comme ils le firent pour sa chère amie la princesse de Lamballe. Sa tête à elle avait d'abord été emmenée chez un coiffeur, pour que tout le monde la reconnaisse, et Marie-Antoinette en particulier.

Maintenant tous les yeux étaient fixés sur le professeur. Elle avait l'air minuscule derrière son gros bureau en chêne, ce qui ne l'empêchait pas de débiter froidement son récit sur les meurtres les plus horribles dont Louise n'avait jamais entendu parler. Même Billy Robertson avait essuyé la bave au coin de sa bouche et se penchait en avant avec avidité, de peur de rater un mot.

— L'ancienne reine de France a été ensevelie dans une tombe anonyme, sa tête autrefois ravissante à tout jamais séparée de son buste svelte, au côté de son époux Louis XVI, qui avait été exécuté de la même façon cruelle quelques mois auparavant.

Louise se retrouva bouche bée. Trop dégoûtant.

DRIIIIINGGGG !! La sonnette retentit et personne ne bougea. Miss Morris avait cette fois capté leur attention.

CHAPITRE 7

— Tu sais depuis combien de temps j'attends ce voyage à Paris ? demanda Louise en déposant un yaourt allégé à la fraise bio sur son plateau par ailleurs vide. Depuis le début de la sixième, répondit-elle sans laisser à Brooke l'occasion de répondre.

— Tu fais un régime sévère ? l'interrogea Brooke en levant un sourcil, alors qu'elle se servait en frites de patates douces, qui avaient l'air d'avoir bronzé sous les lampes à infrarouge de la cantine pendant une éternité.

Louise et Brooke avaient décrété que les frites de patates douces étaient un mélange parfait de vitamines et de fast-food.

— Et, euh… Louise, je ne voudrais pas te vexer, mais la sixième, c'était l'année dernière.

— Brooke, je suis déprimée. Je ne suis pas censée manger.

Brooke lui fit de gros yeux et en reprit une portion pour Louise.

— Quel magazine de mode débile t'a mis cette idiotie dans le crâne ? Tu relis de vieux numéros de *Cosmopolitan* ? se moqua-t-elle.

La cantine, bondée, qui se transformait en auditorium en dehors de l'heure du repas, bourdonnait d'énergie contenue et d'excitation. C'était super compliqué d'entendre son amie, alors qu'elle était juste à côté d'elle. La pièce inondée d'une lumière crue contenait la quantité maximum de tables rondes et rectangulaires, disposées d'une manière qui rendait la navigation entre elles comparable à une progression dans un labyrinthe. Un drapeau bleu et or représentant Ozzie l'otarie, la mascotte de l'école, était accroché au-dessus de la porte d'entrée, avec son slogan qui rappelait à tous de recycler les briques de lait. Louise surprit Todd et Tiff en train de rire ensemble à l'autre bout de la salle, dans la queue pour les repas chauds. Quand Tiff rejeta ses cheveux blonds et raides par-dessus son épaule d'une manière aguichante, Louise fut obligée de détourner les yeux. L'intention était évidente. Louise et Todd avaient passé un bon moment ensemble au bal, mais il était peut-être trop tard ? Devait-elle continuer à être sympa avec lui ?

— Depuis mes onze ans, ça a été la seule chose que j'attendais avec impatience, poursuivit-elle sur un ton mélodramatique, ne laissant pas Brooke changer de sujet. Et voilà que je vais me retrouver au collège quand il n'y aura quasi plus un seul élève de cinquième. Je serai probablement obligée de déjeuner avec Miss Morris. Tu imagines quelque chose de pire que ça ?

— Non, répondit Brooke avec honnêteté.

Oh là là, Louise avait l'impression qu'elle allait vomir. Parce que la cantine sentait encore plus fort que d'habitude son mélange écœurant de détergents à l'ammoniaque, d'ail et de vieille friture ? Ou parce qu'elle était super contrariée ? Louise et Brooke se frayèrent un chemin à travers tables et chaises jusqu'à leur coin habituel près de la fenêtre, slalomant avec habileté pour éviter de la sauce salade à l'italienne allégée répandue sur le sol. À tous les coups, cette flaque causerait bientôt une scène embarrassante…

— Et je suis sûre que Tiff y va, renchérit Brooke en balayant des miettes avec une serviette en papier roulée en boule.

Les employés ne nettoyaient jamais avant la fin du dernier service, donc les tables étaient toujours répugnantes et gluantes en début d'après-midi.

— Tu pourrais éviter de m'enfoncer ? plaida Louise en plongeant une frite de Brooke dans la mare de ketchup qu'elle s'était versée sur son plateau.

Ouf ! Les frites bien grasses lui remontaient un peu le moral…

— Désolée. Elle aura peut-être la grippe, après tout, suggéra Brooke en se rebranchant sur le mode « meilleure copine qui vous soutient ». Ou une intoxication alimentaire, continua-t-elle en pointant le doigt vers son plateau en plastique marron rempli de la nourriture immangeable typique de Fairvew. Ce qui, ici, est tout à fait possible.

— Exact, acquiesça Louise avec un soupir.

— Bref, si tu veux voir les choses sous cet angle, tu auras une semaine entière où tu pourras porter l'ensemble vintage le plus dingue que tu voudras sans craindre la moindre remarque sarcastique de ma part. Ça pourrait être pire, non ?

— Pire comment ? insista Louise en pointant une frite acérée vers son amie avec un geste accusateur.

— ... quelqu'un aurait pu mourir ? finit par murmurer Brooke avec un petit sourire.

— Merci, trancha Louise.

— Eh, il y a une place ? demanda Todd en posant son skateboard avant de s'avachir sur la chaise à côté de Louise.

Son plateau croulait sous deux hamburgers, des frites racornies, un brownie au caramel et du lait chocolaté. Repas typique garçon. L'estomac de Louise fit un petit bond quand la manche du sweat-shirt de Todd frôla son poignet.

— Tu ne manges pas avec Tiff ? demanda Louise, en déplaçant très vite son bras.

Brooke écrabouilla férocement le pied de Louise.

— Aïe ! marmonna-t-elle.

— Pourquoi ? l'interrogea Todd, l'air perplexe.

— Oh, laisse tomber, répondit-elle.

Elle devenait peut-être finalement un peu paranoïaque ?

— Alors, Paris… ça va être trop génial, hein ? reprit Todd.

S'il avait pu dire exactement ce qu'il ne fallait pas dire, il venait de faire le meilleur choix.

— Je n'y vais pas, bredouilla Louise en se mordant la lèvre inférieure.

— Trop nul ! brama-t-il tout en engloutissant une poignée de frites.

Louise tourna aussitôt cette réflexion dans tous les sens. Était-il vraiment désolé pour elle, ou avait-il juste dit ça comme ça ? Elle le regarda dévorer son repas avec l'enthousiasme glouton qui n'appartient qu'aux garçons. Louise n'avait jamais réussi à ingurgiter un hamburger de la cantine. Rien que de penser à leur texture, elle en était écœurée. Quand elle mangeait à la cantine, elle se considérait comme végétarienne.

— Matt ! brailla Todd en se levant d'un bond. Eh, mec, tu as vu cette super figure de skate que j'ai faite tout à l'heure près des gradins ?

Il fourra le reste du burger dans sa bouche et bondit de sa chaise.

— À plus ! lança-t-il avant de rejoindre son ami à toute vitesse.

Louise et Brooke restèrent à table, avec son plateau à moitié terminé. Comme si elles étaient censées débarrasser à sa place ?

— Ouais, trop nul, fit Louise, complètement déroutée.

C'était peut-être trop irréaliste de croire que Todd et elle pouvaient être plus que ce qu'ils étaient déjà. D'ailleurs, qu'étaient-ils déjà exactement ?...

CHAPITRE 8

Si Louise n'avait pas eu un penchant pour le mélodrame, elle aurait été forcée d'admettre qu'il y avait autre chose qu'elle attendait avec impatience excepté le voyage scolaire : la vente vintage des Fashionistas. Elle avait lieu le prochain week-end. Ça ne pouvait pas mieux tomber ! Peut-être qu'au lieu de voyager dans un autre pays, elle voyagerait de nouveau dans une époque différente. Et pourquoi pas définitivement. Dans le sens où, si l'on oubliait la parenthèse du *Titanic*, la vie d'Alice Baxter était plutôt enviable. Et même fabuleuse, en y réfléchissant bien. Louise priait pour qu'il n'y ait pas qu'une seule robe magique dans la boutique. Et pour ne pas avoir tout imaginé. Quoique si cela lui était vraiment arrivé, elle redoutait de se retrouver coincée dans une autre situation dangereuse. Mais ses craintes furent vite balayées : en ce moment, elle avait envie de prendre de longues vacances, loin de sa vie actuelle.

L'invitation précisait que la vente ne se tiendrait pas à Chapel Street, et le nouvel endroit ajoutait au piment de l'expérience. Vous ne pouviez pas débarquer et mettre la main sur un sac Chanel n'importe quand. Il fallait être choisie. Le 37 Spring Street était encore une adresse qu'elle ne connaissait pas dans sa petite ville. Bizarre ! Louise était pourtant persuadée d'en connaître les moindres recoins. Elle entra les coordonnées dans son iPhone et attendit qu'apparaisse l'itinéraire. Mais rien ne s'afficha, à part un message d'erreur. Selon son GPS, le 37 Spring Street à Fairview dans le Connecticut n'existait pas ? !

— Maman, tu sais où se trouve Spring Street ? demanda Louise en déboulant dans la cuisine.

— Comment, ma chérie ? demanda sa mère, les yeux dans le vague.

Elle était assise devant l'immense table en chêne clair jonchée de paperasse. Elle tenait une tasse bleue et blanche en porcelaine fine, en suspension, à mi-chemin entre la table et sa bouche, comme si elle avait oublié qu'elle avait envie d'une gorgée d'Earl Grey.

— Spring Street, répéta Louise.

Ces jours-ci sa mère était encore plus distraite que d'habitude. Ce qui signifiait quelque chose.

— C'est curieux, je viens de la remarquer en faisant mes courses ce matin, répondit Mme Lambert en redescendant sur terre.

Du coup, elle reposa sa tasse dans sa soucoupe.

— C'est une nouvelle rue, il me semble, continua-t-elle. En fait, plutôt une ruelle, qui donne sur l'arrière du bureau de poste. Pourquoi veux-tu le savoir ?

— Il y a une autre vente vintage aujourd'hui. Je pensais y trouver quelque chose pour les treize ans de Brooke le week-end prochain. Elle organise une fête costumée.

— C'est charmant ! approuva sa mère, visiblement la tête ailleurs.

Charmant ? L'avait-elle même seulement écoutée ? Pour une fois, sa mère ne montait pas sur ses grands chevaux quand on abordait la question du vintage. Louise avait l'impression d'avoir bataillé non-stop avec elle toute l'année pour défendre ses acquisitions dans les friperies. Elle en avait conclu que l'éducation très chic que sa mère avait reçue lui rendait inconcevable l'idée que sa fille s'habille dans des magasins d'occasion. De plus, Louise s'étant évanouie à la vente précédente, ce serait sans aucun doute cette fois plus difficile de la convaincre d'accepter qu'elle s'y rende.

Alors pourquoi n'était-elle pas énervée qu'elle rapporte de vieux vêtements contaminés par d'antiques microbes risquant de décimer la famille par la scarlatine ou la peste bubonique, ou une quelconque maladie d'autrefois, comme elle le répétait sans cesse ? Quelque chose devait vraiment aller de travers. Elle aurait voulu que sa mère se reprenne et se comporte comme avant. Cette maman robot commençait à lui donner des frissons dans le dos.

— J'imagine que je n'aurai pas besoin de nouveaux vêtements pour le voyage à Paris, n'est-ce pas ? ajouta Louise d'un ton désabusé, espérant que d'une manière ou d'une autre elle réussirait à convaincre sa mère de changer d'avis.

Celle-ci cessa immédiatement de regarder dans le vague.

— Tu connais notre position là-dessus. Je suis désolée, mais la réponse est toujours non, répliqua-t-elle avec fermeté en tripotant nerveusement son collier de perles.

Louise se demanda si sa mère, avec son enfance remplie de gouvernantes et de bonnes, avait jamais été confrontée à un « non » au même âge qu'elle. Certainement pas face à une chose aussi importante. Ce voyage était crucial pour son épanouissement social. Il fallait qu'ils le comprennent.

— Ce n'est pas juste ! s'écria-t-elle.

— Louise Ann Lambert !

Oh non, son nom complet ! C'était toujours mauvais signe.

— Je suis désolée, mais la réalité, c'est que nous devons réduire nos dépenses et un voyage en Europe n'est pas d'actualité pour le moment. Beaucoup de gens ont des problèmes plus graves que ça. Ça ne te tuera pas d'être un peu plus compréhensive. Ce n'est facile pour personne ici.

— Mais tu ne comprends pas à quel point c'est important ! balbutia Louise, à court d'arguments.

— Tu dois mettre les choses en perspective et arrêter de te comporter comme une gamine pourrie gâtée !

Louise en resta bouche bée. C'était vraiment trop dur !

— Oh mon Dieu, je ne voulais pas dire ça ! Je suis très stressée en ce moment. Je suis désolée, dâââârling. Allez, on va faire du pop-corn et regarder Audrey Hepburn dans *Vacances romaines* ce soir. Un moment de détente ne me fera pas de mal.

— J'ai des devoirs, bougonna Louise.

Alors qu'on était samedi et que c'était l'un de ses films noir et blanc préférés.

— S'il te plaît, Louise, sois prudente ! Et n'oublie pas ton portable, lui ordonna sa mère d'un ton sans appel qui étonna Louise.

Elle sortit de la cuisine plus déterminée que jamais à retrouver Marla et Glenda pour s'évader dans leur merveilleuse collection vintage. Peut-être pour de bon, cette fois.

CHAPITRE 9

Installée sur la selle de son vélo rose à trois vitesses, Louise contemplait, depuis la route, la maison où elle avait grandi. La grande bâtisse style cottage anglais, plantée en retrait sur les hauteurs de sa pelouse impeccable, offrait une allure imposante. De l'extérieur, on n'aurait jamais deviné le bouleversement et les soucis récents qui s'étaient installés derrière ses murs de pierre. La seule légère indication que quelque chose clochait un peu, c'était la voiture de son père garée dans l'allée un jour de semaine.

Elle fit signe à Mme Weed, leur voisine, qui taillait ses rosiers comme chaque samedi après-midi, et pédala le long des rues familières bordées d'arbres vers le bureau de poste du centre-ville. Tandis qu'elle filait sur le macadam, les petits serpentins accrochés aux poignées de son vélo voletant dans le vent, elle se sentit envahie par un mélange de nostalgie et d'inquiétude. Chacun de ses souvenirs était inextricablement lié à ces rues, ces maisons et ces gens. C'était à la fois rassurant… et à vous coller une bonne crise de claustrophobie !

Le panneau indiquant Spring Street était bien visible, pas seulement parce qu'il était peint à la main en lettres noires sur un panneau en bois qu'elle n'avait jamais vu auparavant, mais aussi parce qu'il marquait le début d'une allée pavée. Alors que toutes les autres rues de sa ville étaient modernes et goudronnées. Louise avait déjà l'impression de retourner dans le passé. Elle remonta les manches de son cardigan bleu marine et pédala avec détermination dans l'allée irrégulière et bosselée.

De grands chênes feuillus protégeaient la ruelle du soleil éclatant de l'après-midi. Plus elle s'y enfonçait, plus elle devenait étroite. Louise se félicita d'avoir une âme d'exploratrice. C'était trop étrange qu'une rue aussi spéciale située à peine à un quart d'heure de chez elle lui ait échappé ! Peut-être sa ville n'était-elle pas aussi petite qu'elle le croyait, finalement.

Elle s'arrêta devant la première boîte aux lettres qu'elle repéra. Recouverte d'une peinture verte qui s'écaillait, elle portait contre toute logique le numéro 37. Louise revérifia son invitation. C'était bien là.

Elle tourna dans l'allée pleine de nids-de-poule qui menait à la maison, où elle découvrit un petit cottage en pierre. Quel drôle d'endroit pour installer une boutique éphémère ! Enfin, il est vrai qu'elle avait affaire à deux commerçantes plutôt inhabituelles...

Au moment où elle arrivait devant la maison, son vélo patina dans le gravier et déposa Louise brutalement par terre avant de lui retomber dessus dans l'herbe trop haute de la pelouse. Aïe ! Quelle entrée glamour !

Elle se dépêtra du cadre rose de sa bicyclette, brossa la boue sur son genou et regarda autour d'elle pour voir si quelqu'un avait été témoin de cet épisode embarrassant. Non, elle était seule. Vraiment toute seule. Louise gravit les marches en bois ramolli par le moisi vers la porte d'acajou en demi-lune dans sa partie supérieure, essayant d'ignorer les élancements dans sa tempe gauche. Quelle excitation intense quand elle souleva le lourd heurtoir en cuivre ! Son cœur s'emballa devant la peur de l'inconnu. Elle revérifia pour la troisième fois son invitation, pour être bien sûre qu'elle était au bon endroit. Louise avait voulu venir toute seule pour affirmer son indépendance, en fait, mais maintenant elle aurait eu envie que sa meilleure amie soit avec elle, comme la dernière fois. *Et pourquoi recommençait-elle ? N'avait-elle pas failli se faire tuer la première fois, lors de cette expérience ?* Mais avant qu'elle ne puisse tourner les talons et enfourcher sa bicyclette, elle entendit un tintement de clochette, et la porte s'ouvrit devant elle. Louise pénétra dans l'obscurité sans plus réfléchir.

CHAPITRE 10

— Marla ! C'est absolument fabuleux ! Notre fashio-nista voyageuse préférée est revenue !

— Je t'avais dit qu'elle reviendrait, tu vois, Glenda !

Avant même que Louise ait pu dire bonjour, les deux femmes se précipitèrent sur elle et l'attirèrent à l'intérieur du cottage mal éclairé, leurs deux paires d'yeux verts iden-tiques flamboyant d'excitation. Le parquet à larges lames était jonché de paillettes et de boutons. Les Converse roses de Louise en écrasèrent pas mal quand elle franchit le seuil.

— J'espère que ce n'est pas trop isolé. Je suis contente que vous nous ayez trouvées ! roucoula Glenda en tapo-tant le sommet de la tête frisée de Louise comme si elle était un chat désobéissant.

Elle extirpa un long brin d'herbe du petit chignon de Louise.

— Vous aviez oublié quelque chose ? gloussa-t-elle en le lui brandissant sous le nez.

Ce que Louise avait presque oublié, c'était à quel point Glenda était grande et intimidante. Effet accentué par les hauts talons de ses bottines noires usées qui devaient bien remonter au XIXe siècle. Ses cheveux d'un roux écarlate ne se laissaient pas dompter par les peignes en écaille de tortue qui pointaient de l'arrière de son crâne telles des antennes et frôlaient presque les poutres du plafond bas.

— Qu'est-ce que c'est que cet endroit ? demanda Louise, stupéfaite. Mon téléphone ne l'a pas trouvé sur la carte.

— Comment Dieu possible votre téléphone pourrait-il avoir une carte ? s'étonna Marla.

Visiblement perplexe, elle remonta ses lunettes sur son nez, qui grossirent ses yeux marron tout plissés.

— Cette maison a toujours été là, continua-t-elle. Il fallait simplement ajouter un panneau avec le nom de la rue, expliqua-t-elle en ôtant à Louise son cardigan indigo en cachemire (de la marque Anthropologie, mais à l'aspect vintage) pour l'enfiler sur un cintre rembourré et le suspendre à un portant à roulettes pris au hasard.

Marla et Louise avaient désormais la même taille. Marla avait-elle rapetissé, ou Louise avait-elle grandi ? Elle ne savait pas trop, mais, en tout cas, maintenant le nez de Louise était au même niveau que celui de Marla, affublé de sa grosse verrue.

— Est-ce que... est-ce que je le récupérerai ? demanda Louise.

C'était son pull bleu préféré. Il allait avec tout, et il avait ces jolis petits boutons qui ressemblaient à des perles miniatures.

— Bien sûr, darling. Nous savons exactement où tout se trouve, la rassura Glenda en enfilant un manteau long imprimé léopard qu'elle venait de prendre sur le même portant. Pile à l'endroit où je l'avais laissé ! se réjouit-elle.

Louise eut du mal à la croire.

L'unique pièce du cottage était bien plus grande qu'on ne l'aurait pensé de l'extérieur et avait été miraculeusement transformée en boutique de vêtements bourdonnant d'activité. Chaque centimètre carré d'espace regorgeait de trésors vintage. Il y avait même des bottines à boutons et des sandales à talons empilées dans le foyer de la cheminée. Un lustre vénitien tarabiscoté en verre coloré, accroché dangereusement bas sur la poutre maîtresse, jetait une lumière scintillante dans la boutique par ailleurs plongée dans la pénombre. La pièce sentait les boules de naphtaline et le cèdre, comme dans l'armoire à linge de sa mère chez elle.

Marla et Glenda s'épargneraient beaucoup de désagréments si elles trouvaient un endroit fixe une fois pour toutes, songea Louise, mais en même temps elle ne pouvait s'empêcher d'apprécier l'aura de mystère qui entourait l'événement. Elle reconnut une armoire couleur ivoire de la vente précédente dans un coin au fond de la pièce. C'était celle où elle avait déniché sa robe rose, pas de doute. Elle décida que c'était le bon moment pour leur demander ce qui lui était réellement arrivé quand elle l'avait essayée à la vente du 220 Chapel Street.

— Connaissez-vous une actrice qui s'appelle Miss Baxter ? se lança-t-elle, tout en se demandant comment formuler la question pour ne pas passer pour une demeurée totale.

— Alice Baxter ? fit Glenda en levant un sourcil. Peut-être. Mais nous ne parlons jamais de nos clientes, ma cocotte.

— Oui, nous signons un accord de confidentialité avec toutes les personnes qui viennent dans notre boutique. J'en ai un quelque part par ici, déclara Marla en se précipitant vers son bureau à cylindre, puis se mettant à fourrager dans une pile vacillante de papiers en désordre. En fait, si je le retrouve, je pense qu'il est temps que vous en signiez un aussi, finalement.

— Étiez-vous sur le *Titanic* ? continua Louise sans prendre de gants.

Marla et Glenda échangèrent un regard ébahi avant d'éclater de rire.

— Mais quel âge nous donnez-vous donc ? s'étonna Glenda. Oh, non, finalement, ne répondez pas. Vous savez bien que le *Titanic* a pris la mer en 1912, ajouta-t-elle en fusillant Louise des yeux, ce qui la dissuada définitivement de poser d'autres questions.

— Il faut absolument que vous jetiez un coup d'œil. Nous avons un stock tellement fabuleux ! lança Marla, laissant tomber sa chasse au document et changeant habilement de sujet.

— Un peu de musique pour agrémenter votre shopping ? proposa Glenda, qui plaça un disque sur l'antique phonographe installé dans un coin.

Un air de jazz au piano grésilla dans l'air.

— Oooh, mon préféré !

Marla et Glenda se prirent par les mains et commencèrent à virevolter dans la pièce. Elles évoluaient entre les piles de cartons à chapeaux rayés rouge et blanc et les portants surchargés, riant et soulevant sur leurs pas des nuages de poussière et de paillettes. Elles n'avaient en tout cas pas besoin de Louise pour s'amuser.

Explorant les lieux, Louise faillit trébucher contre une chaise basse victorienne couverte d'un arc-en-ciel de robes de créateurs d'époques différentes. Elle reconnut tout de suite une robe-chemise à motif rose et vert de Lilly Pulitzer.

Elle prit une robe mini noire ultra moulante d'Azzedine Alaïa, ornée d'une longue fermeture Éclair qui semblait n'avoir pour seule fonction que d'être super spectaculaire. Azzedine Alaïa était l'un des couturiers les plus célèbres des années 1980. Il avait habillé toutes les stars et les tops de cette décennie-là.

Parmi ces tops, il y avait Naomi Campbell, Cindy Crawford et Stephanie Seymour. Et si elle essayait cette robe, et se retrouvait transportée ou téléportée (ou elle ne savait trop quoi) dans les années 1980 à New York ? Peut-être serait-elle une galeriste chic, ou une chanteuse comme Madonna (qu'Alaïa avait aussi habillée). *Qui sait, pourquoi pas Madonna elle-même ?* songea-t-elle. Elle commença à écha-fauder tout un scénario dans sa tête. Elle pourrait passer des soirées dans le bas de Manhattan au Mudd Club avec des ar-tistes célèbres comme Jean-Michel Basquiat et Andy Warhol. Et puis c'étaient les années de l'excès ! Le shopping à en tomber de fatigue ! La nouvelle mode des sushis ! Les pre-miers téléphones portables, énormes ! Ah, l'excès, voilà exac-tement ce dont Louise avait besoin en ce moment !

Pendant que Marla et Glenda tourbillonnaient vers l'autre bout de la boutique, Louise se dissimula derrière une pile de cartons à chapeaux, se débarrassa de sa robe fleurie blanche et rose de Betsey Johnson obtenue pour huit dollars sur eBay et se tortilla pour enfiler la robe minuscule en tissu stretch noir. Elle allait juste faire un pe-tit essai, pour voir. Elle ferma les yeux très fort, écarta les bras à l'horizontale et attendit d'être engloutie par le senti-ment de vertige qu'elle avait expérimenté la première fois.

Mais apparemment Louise n'était destinée à aller nulle part. Elle ouvrit les yeux : elle était exactement à la même place. Mais toisée par deux vendeuses furieuses.

— Savez-vous que le vol à l'étalage est un grave délit, puni de prison, dans cet État ? l'interrogea Marla, menaçante, en jouant avec le pendentif orné d'une tête de caniche suspendu à son cou par une grosse chaîne en or.

C'était ce même pendentif étrange que Glenda et elle portaient déjà à la vente précédente.

— N'est-ce pas, Glenda ? Ou est-ce dans un autre État ? demanda-t-elle à sa compagne en haussant les épaules.

— J'allais la payer, rétorqua Louise, toute honteuse.

— Oh, dâârling, mais qui a parlé d'argent ? Vous n'avez quand même pas cru que nous pouvions vous laisser quitter cette maison dans cette petite chose hyper sexy, n'est-ce pas ? s'étonna Glenda, ses yeux lançant des éclairs désapprobateurs.

Le disque de jazz venait de s'arrêter comme par magie avec un grand crissement, et Louise ressentit avec une intensité accrue le jugement silencieux des deux femmes.

Elle rougit et baissa les yeux. Il fallait bien l'admettre, elle ressemblait un peu à Julia Roberts dans la comédie romantique *Pretty Woman*, avant sa transformation en femme du monde.

— Ce petit homme est un génie, mais Azzedine n'a jamais su où il fallait s'arrêter de raccourcir, n'est-ce pas ?

— Quand vous serez un peu plus âgée, peut-être, ma chère, dit Marla un peu plus gentiment.

Elle tendit à Louise un kimono avec des broderies so-phistiquées. Louise l'enfila avec un peu d'hésitation. Allait-elle se révciller et se retrouver geisha au Japon ? Qu'est-ce qui était donc magique, dans cette boutique ? Peut-être avait-elle rêvé toute cette histoire de *Titanic*, finalement. Elle commen-çait à se sentir un peu idiote d'avoir espéré secrètement es-sayer une robe et s'évader dans la vie d'une autre personne.

— Que pensez-vous de cette merveilleuse robe ? s'en-quit Glenda.

Elle brandissait une robe bordeaux en velours frappé, avec des manches ballon, absolument hideuse. Importable, à part peut-être pour une fête de la Renaissance.

— Je crois que je vais faire l'impasse sur celle-là, ré-pondit Louise, un peu angoissée de découvrir que ses sty-listes devenaient aussi strictes que sa mère.

Ne pouvait-elle pas choisir elle-même son aventure ? Et y en aurait-il une ?

— Deviendriez-vous difficile, princesse ? la titilla Glenda avant de jeter la robe par terre.

— Désolée, je dois être de mauvaise humeur. Mon père a perdu son travail, ma mère et moi venons de nous disputer sérieusement et je ne peux pas partir en voyage scolaire à Paris avec ma classe. Ils sont tellement injustes. Je n'ai jamais l'occasion d'aller nulle part.

— Eh bien, ce n'est pas tout à fait vrai, n'est-ce pas, ma chère ? l'interrogea Marla.

Louise se rendit compte que le « ils sont tellement injustes » était devenu sa nouvelle rengaine.

— En fait, je dirais plutôt que vous avez déjà voyagé un peu plus et un peu plus loin que la plupart des jeunes filles d'aujourd'hui, gloussa Glenda.

Alors… ça voulait donc dire qu'elles étaient au courant de son voyage sur le *Titanic*!

— Bien. Oublions tout ça et trouvons donc quelque chose de spécial pour vous, continua-t-elle. Comme l'a dit une fois ma chère amie Coco Chanel, « il y a des gens qui ont de l'argent et des gens qui sont riches ». Si vous pouviez simplement apprécier ce que vous avez pour le moment, vous réaliseriez que vous êtes riche, ma chère.

— Pour le moment, je crois que je préférerais avoir de l'argent, répliqua Louise, sinistre.

Être « riche », quel qu'en soit le sens, ne lui avait pas vraiment obtenu un aller-retour pour Paris. Et à cet instant précis de sa vie, c'était devenu un objectif. Et même son unique objectif.

— Coco Chanel n'est-elle pas morte depuis une cinquantaine d'années? reprit-elle, interloquée à l'idée que Glenda et la grande créatrice de mode aient pu être des amies aussi proches.

— Des « Rillettes Déesse Verte » ? les interrompit Marla qui, avec grâce, louvoyait dans la pièce encombrée, chargée d'une assiette de crudités et d'un bol terrifiant rempli d'une substance d'un vert couleur moisi. C'est une recette de famille. J'en ai mixé spécialement pour vous ! s'exclamat-elle avant de fourrer le plat juste sous le nez de Louise.

Mixé l'année dernière ? fut tentée de demander Louise. Les bâtonnets de carotte et de céleri tout flapis étaient arrangés en éventail autour de la substance répugnante. Louise se remémora immédiatement la dernière fois qu'elle avait goûté les expérimentations culinaires de Marla et refusa avec politesse. Sauf que… et si c'était une intoxication alimentaire, comme sa mère en était persuadée, qui avait suscité ces images si réalistes sur le *Titanic* ? Avant qu'elle n'ait eu le temps de changer d'avis, Marla répondit, vexée : « Comme vous voudrez ! » Elle jeta alors la nourriture intacte dans un carton à chapeaux rayé rouge et blanc, puis en referma prestement le couvercle.

CHAPITRE 11

— Je parie que vous n'avez jamais rien vu de tel dans vos livres sur le vintage, prédit Glenda.

Elle écarta de son chemin un portant chargé de robes de bal pastel à jupes en taffetas, pour dégager une vitrine en verre fermée à clé, tout au fond de la pièce. Elle contenait une unique robe de bal qui semblait en suspension dans l'air. Un vague rayon de la lumière de l'après-midi filtrant par la petite fenêtre du cottage illuminait la robe à la perfection : elle en devenait presque irréelle. Louise eut le souffle coupé.

— Le Metropolitan Museum of Art adorerait mettre la main sur cette faaaabuleuse robe, haleta Glenda.

Elle était coupée dans un délicat satin vert d'eau, de la couleur des boîtes de chez Tiffany's. Le corsage en ruché s'ajustait sur une superbe jupe longue à crinoline, décorée de deux panneaux drapés qui ressemblaient à des rideaux de scène retenus par des glands dorés. Son décolleté plongeant était bordé de dentelle blanche et d'un galon bleu vif entrelacés, qui soulignaient également le bas de la robe dont la longueur couvrait les pieds. La dentelle décorait aussi les manches trois-quart avec un plissé parfait, agrémentée d'un ruban de soie fixé par une grosse broche en diamants sur chaque bras. Une rangée de minuscules nœuds rose pâle en décorait le devant de haut en bas. La robe rigide tenait droite toute seule.

— Elle est presque aussi vieille que toi ! se moqua Marla en regardant Glenda.

Celle-ci leva un sourcil dessiné au crayon.

— Ha, ha, fit-elle d'un ton monocorde, sans rire du tout.

— Qui a créé cette robe ? demanda Louise en retenant toujours son souffle.

Elle n'avait jamais vu pareille merveille et l'accro du vintage en elle mourait d'envie de le savoir.

— Celle-ci… commença Glenda en ménageant un silence pour accentuer son effet dramatique, c'est une Rose Bertin… originale.

— Une Rose quoi ? piailla Louise, surprise de ne pas connaître ce nom.

Après toutes les recherches obsessionnelles qu'elle avait menées, elle était persuadée d'avoir au moins entendu parler de tous les grands couturiers.

— Ah, les ados, aujourd'hui ! lâcha Glenda en fronçant le nez comme si elle avait senti quelque chose de malodorant.

— La soirée costumée de Brooke ! N'est-ce pas parfait pour ça ? s'exclama Marla sans répondre à sa question.

— Comment êtes-vous au courant ? s'excita Louise, toujours agacée par la capacité étrange de Glenda et Marla de dégoter pile ce qu'elle cherchait.

Leur avait-elle parlé de la fête costumée de Brooke pour ses treize ans ? Et même évoqué l'anniversaire de Brooke ? Non, elle en était presque sûre.

— Ça me semble parfait, répondit-elle avec hésitation.

Elle s'approcha de la robe pour l'étudier de plus près.

— Mais comment l'avez-vous obtenue ? C'est le genre de robe à être présentée dans un musée, plutôt que dans un magasin vintage.

— Et comment pourriez-vous la porter si elle était dans une vitrine de musée ? s'indigna Glenda, l'air stupéfait. Il y a tellement d'interdictions dans ce genre d'endroit !

— Et si je la déchire ? Elle a l'air si fragile !

— Des questions, des questions ! Pourquoi pas un simple merci ? interrompit Marla avec un claquement de langue désapprobateur.

— Quoique ce ne soit pas tout à fait le moment pour cette robe. Tu n'es pas d'accord, Marla ? lui demanda Glenda d'une voix grave, tout en examinant la petite assistante d'un regard perçant. Comme on dit, le bon moment, c'est essentiel !

— Tout à fait exact. Il semble que je perde la notion du temps, ces jours-ci, rétorqua Marla en reprenant le portant de robes de bal pastel. Peut-être pourrez-vous l'essayer à la prochaine vente, ma chère ?

Louise passa doucement la main sur le délicat tissu bleu-vert pâle. Elle eut la sensation qu'il aurait pu tomber en poussière entre ses doigts. À quelle époque remontait cette création ? Techniquement, elle savait qu'une robe pareille était trop ancienne pour être considérée comme du vintage. C'était une antiquité, c'était sûr. Auquel cas, elle avait une grande valeur.

Tiff Freedman ne porterait jamais quelque chose d'aussi génial. Todd serait forcé de retomber amoureux de Louise (ou un truc du même genre) après l'avoir vue dans cette robe royale époustouflante. Durant une soirée de rêve, une seule, elle pourrait s'imaginer qu'elle était riche et pouvait se permettre de porter ce genre de robe faite sur mesure. Pour elle, et elle seule.

— S'il vous plaît, supplia Louise, j'adorerais l'essayer.

Les deux femmes échangèrent des coups d'œil stressés, mais avant qu'elles ne puissent répondre, on frappa violemment à la porte. Brooke, l'air furax, fit irruption dans le cottage, accompagnée d'un nuage de poussière et de clochettes tintinnabulantes.

CHAPITRE 12

— Brooke ? Mais qu'est-ce que tu fais là ? s'exclama Louise, stupéfaite, en s'écartant de la vitrine.

Elle éprouvait ce sentiment bizarre, lorsque deux compartiments de votre vie tout à fait séparés se mélangent soudain.

— Lou, je n'arrive pas à croire que tu ne m'as pas dit que tu allais à une autre vente des Fashionistas ! C'est comme si tu avais une vie secrète ! Je croyais que nous étions les meilleures amies du monde ! s'écria-t-elle en levant les mains au ciel, totalement bouleversée.

— Nous le sommes...

— C'est ta mère qui m'a dit que tu étais ici, ajouta Brooke avec tristesse, comme si c'était là la trahison suprême. Et moi qui croyais qu'on partageait tout ! Même si je ne suis pas obsédée comme toi par les vêtements d'occasion...

Louise vit Glenda se braquer instinctivement.

— Nous préférons le terme « vintage », ma cocotte. Occasion, ça fait tellement… déclassé.

— OK, concéda Brooke en faisant les gros yeux, toujours plantée sur le seuil. Même si je ne suis pas obsédée comme toi par les vêtements vintage. Mais ça n'empêche pas que j'aurais bien voulu que tu me le dises !

— Oh, mon Dieu, marmonna Marla en remettant prestement le portant de robes de bal devant la vitrine en verre.

— Je voulais juste… bredouilla Louise.

Oh là là, comment allait-elle se dépêtrer de cette embrouille ?

— Brooke, ma chère ! Quelle fabuleuse surprise de vous revoir, c'est tellement inattendu ! s'exclama Glenda en minaudant.

Elle se précipita vers une Brooke décontenancée et lui passa un bras protecteur autour des épaules.

— Voyez-vous, Louise ne voulait pas vous dire qu'elle venait nous voir car elle voulait que la robe qu'elle portera à votre soirée soit une surprise, ajouta Marla en caressant la tête blonde de Brooke d'un geste rassurant.

— Attends… qu'est-ce que tu as sur le dos ? C'est ça, que tu comptes mettre pour mon anniversaire ? l'interrogea Brooke, les yeux ronds.

Louise examina son ensemble mi-japonais mi-années 1980, soudain super mal à l'aise. Elle avait complètement oublié qu'elle était affublée ainsi.

— Pas exactement, répondit-elle en devenant écarlate.

— Et vous, Dieu du ciel, que portez-vous donc ? tonitrua Glenda en reculant pour mieux détailler le sweat-shirt rose à capuche Juicy Couture de Brooke et son caleçon noir, qui étaient on ne pouvait plus normaux et cool à Fairview, comme si le sweat-shirt était un produit extraterrestre tombé de la planète chewing-gum Malabar.

Glenda frissonna en faisant courir ses longs doigts crochus sur le tissu en velours. Elle jeta un coup d'œil sur l'étiquette à l'intérieur du col.

— Juicy Couture ? Ha ! Laissez-moi vous montrer ce que « couture » veut dire ! s'écria Glenda en secouant sa crinière rousse avec une emphase délibérée.

— Nous avons quelque chose d'un petit créateur qui s'appelle Karl Lagerfeld, et qui serait superbe sur vous, à mon avis.

— Pourquoi pas, répondit Brooke avec un haussement d'épaules indifférent, tout en foudroyant Louise du regard.

Alors que Marla et Glenda conduisaient Brooke à l'autre bout de la boutique pour lui montrer leurs nombreux choix de Karl Lagerfeld pour Chanel, Louise contourna doucement le portant de robes de bal sur la pointe des pieds et arriva devant la vitrine. Elle ouvrit sans bruit la porte en verre. Elle retint son souffle, s'attendant à moitié à entendre une alarme, ou à ce qu'un filet tombe sur sa tête depuis le plafond. Rien. Quelque chose en elle savait qu'il fallait qu'elle essaye cette magnifique antiquité, et que ce serait là son unique occasion de le faire.

Elle ôta le kimono en soie et se contorsionna en tous sens pour s'extraire de la robe ultra moulante ridicule d'Alaïa avant que les autres ne la repèrent. Elle se sentait comme aimantée par la vitrine, avec autant de force que si la robe elle-même chuchotait son nom. Le tissu de satin aux broderies exquises était cousu main, c'était évident, et le talent d'artiste qu'exprimait cette création raffinée lui coupait littéralement le souffle.

Elle extirpa l'imposante robe (du même vert pastel qu'un œuf de rouge-gorge) de son présentoir et un frisson courut le long de ses bras. Louise reconnut la sensation de chatouillement de la dernière fois, quand elle avait découvert la robe rose iridescente qui l'avait transportée sur le *Titanic*. Une puissante vague de déjà-vu la submergea.

— Dâârling, Louise ! Brooke vous a trouvé quelque chose de fabuleux ! la héla une voix rauque depuis le fond de la pièce. Avez-vous vu ces adorables mules rouges de Ferragamo que nous vous avions mises de côté dans la cheminée ? Des classiques ! Et pile votre pointure ! Où êtes-vous, ma chère ?

— J'arrive ! cria Louise en essayant de garder un ton aussi normal que possible.

Elle passa les jambes dans la jupe à crinoline et ajusta le corsage en satin poudré sur son buste. Puis elle glissa son bras gauche dans une manche plissée. Jusque-là, la robe lui allait presque à la perfection. Splendide !

— Lou, il faut que tu voies ça ! entendit-elle Brooke, ainsi qu'un bruit de pas qui s'approchaient.

— Sortez, où que vous soyez ! appela Marla, tandis que les bruits de pas s'intensifiaient.

Louise allait être découverte et elle allait avoir des ennuis, c'était sûr.

Sans perdre un instant, elle introduisit sa main dans l'autre emmanchure étroite et fut immédiatement aveuglée par un éclair vif de lumière scintillante bleue et blanche. Louise s'écroula par terre, comme une marionnette parée d'atours magnifiques dont on aurait subitement tranché les fils.

« Je ne conçois pas des vêtements.
Je conçois des rêves. »

RALPH LAUREN,
Créateur de mode américain

CHAPITRE 13

Quand Louise s'éveilla, elle aurait juré être enfermée dans un cercueil. Cela sentait le renfermé, il y régnait un silence de mort et elle était recroquevillée dans une petite boîte en bois. Elle avait mal à la tête et son corps était endolori de partout, comme si elle était restée dans cette position inconfortable pendant des heures. *Dans quoi s'était-elle fourrée, cette fois-ci ?*

Avant qu'elle n'ait eu le temps d'y réfléchir, un flot de lumière baigna soudain l'espace sombre et confiné. Aïe ! Louise se frotta les yeux.

— Ma chère Gabrielle, quelle merveilleuse cachette !

Gab-qui ? Une petite boule blanche ébouriffée sauta sur la jupe de Louise et se mit à lui lécher la main en jappant.

— Sans mon précieux Macaron, je crois que je ne t'aurais jamais retrouvée. Bon chien ! gloussa une jolie fille blonde en récupérant la créature miniature avant de l'étouffer de petits baisers sur la truffe.

Depuis la perspective limitée de Louise, la fille semblait fluette, avec des joues rosies par l'animation, une peau d'albâtre, la lèvre inférieure légèrement proéminente et de grands yeux d'un bleu-gris pâle.

Louise regarda autour d'elle pour essayer de trouver ses repères. Elle était accroupie sur une pile de robes en soie dans ce qui semblait être une armoire. Quelque chose de dur lui rentrait dans les fesses. En se penchant, elle découvrit qu'elle était assise sur une boucle incrustée de diamants, fixée à une chaussure ancienne à haut talon d'un jaune citron.

D'après l'aspect incurvé du talon, elle réalisa soudain qu'elle ne devait pas être dans le bon siècle. Louise se remémora son croquis dessiné pendant son cours d'histoire. Elle aurait pu jurer avoir dessiné la même ! Et maintenant c'était un objet réel, qu'elle tenait dans sa main ! Ah, comme elle regrettait d'avoir oublié de vérifier dans sa bible de la mode ce soir-là !

— Où suis-je ? bégaya Louise d'une voix qu'elle trouva étrange.

— Voilà ! couina la fille en aidant Louise à se remettre sur ses jambes plutôt flageolantes.

Elle la conduisit dans une pièce merveilleusement ornementée.

Les murs bleu azur étaient soulignés d'un décor de feuilles d'or. Un lustre en bronze et en verre illuminé de bougies dégoulinantes scintillait au plafond. Des vases emplis de fleurs sauvages roses et violettes étaient disposés sur la moindre surface disponible, et les fleurs semblaient assorties au motif du tapis aux points d'aiguille et aux rideaux en mousseline vaporeuse qui voletaient devant les hautes fenêtres ouvertes.

Louise cligna des yeux, essayant de s'adapter à sa nouvelle réalité. La robe avait fonctionné ! *Quelqu'un savait-il où elle était ?* songea-t-elle.

— Tes cheveux ! s'exclama Louise, surprise de voir que les cheveux blond clair de la fille étaient remontés en une sorte de nid-d'abeille géant qui trônait à une bonne trentaine de centimètres au-dessus de son crâne.

Coincées dans ce nid, deux plumes d'autruche blanches rajoutaient encore à sa hauteur de quelques centimètres. Quel look bizarre et incroyablement théâtral ! Mais si l'on supprimait la coiffure délirante, la fille était petite, à peu près de la même taille que Louise. Et elle remarqua, non sans satisfaction, que sous les différentes couches de sa robe en mousseline blanche style Empire à taille haute, elle était maigrichonne et plate comme elle.

— Tu trouves que c'est trop ? demanda la fille avec un gloussement haut perché. À mon avis, Léonard a fait un merveilleux travail !

— Non, c'est stupéfiant, répondit Louise très vite. Je n'ai jamais vu ce genre de coiffure auparavant.

— Alors tu devrais te regarder dans un miroir, s'esclaffa la fille. Il semblerait qu'on t'ait laissée trop longtemps dans l'armoire. Viens, nous allons prendre du thé aux fleurs d'oranger et des croissants dans le jardin. Les filles nous attendent.

Se rappelant son voyage sur le *Titanic* en tant que Miss Alice Baxter, Louise songea que tant que cette fille était dans la pièce, il valait mieux qu'elle ne se regarde pas dans un miroir. Car d'après sa dernière expérience, elle avait appris que la seule occasion où sa véritable identité était révélée était son reflet dans un miroir, qui lui renvoyait l'image de la vraie Louise Lambert de douze ans… et du XXIe siècle.

— Hum… d'accord, le jardin m'a l'air parfait, approuva Louise, plus perdue que jamais.

— Oh, mon Dieu, Gabrielle, ta robe est un désastre ! Pourquoi ne mettrais-tu pas une de celles-ci ?

La fille lui tendit une robe d'après-midi mauve pâle en mousseline de soie vaporeuse rehaussée de mousseline plissée, qu'elle venait d'extirper du fond de l'armoire.

De toute évidence, cette fille la prenait pour une personne nommée Gabrielle. Mystère pour l'instant… Louise examina sa robe bleu-vert toute froissée et de travers. Ça alors ! C'était une version toute neuve, sublime, de celle qu'elle avait essayée en douce à la vente des Fashionistas ! C'était vraiment la même, mais la tournure était désormais sérieusement tordue et le tissu, d'une teinte bien plus vive que dans la boutique vintage, était tout froissé après la séance dans l'armoire.

— Ce sera parfait. Celle que tu portes est tellement raide ! J'en ai vraiment assez de tout cet apparat. J'ai l'intention d'interdire les corsets pour de bon au Petit Trianon ! s'exclama la fille avenante, en faisant des gros yeux comme n'importe quelle ado du XXIe siècle.

Euh... Petit quoi ? Mais où donc se trouvait-elle ? En tout cas, où que ce soit, cela semblait déjà bien plus excitant qu'un voyage scolaire en France, songea Louise en examinant la pièce meublée de fauteuils en vis-à-vis tapissés de soie rose, agrémentés de repose-pieds et de tables à dessus de marbre. Une grande harpe dorée était placée au centre de la pièce à côté d'un lutrin recouvert de partitions, comme si quelqu'un venait de terminer sa leçon.

— Va te changer, je t'attends, ordonna la fille en lui ôtant vivement sa robe vert d'eau.

Elle conduisit une Louise très gênée vêtue en tout et pour tout d'une chemise de dessous démodée et toute raide vers un paravent décoré de fleurs et de colibris délicats peints à la main.

Elle n'avait pas envie de quitter la robe magique, mais apparemment elle n'avait pas le choix. Quelque chose d'impérieux dans le ton de la fille suggérait qu'elle n'avait pas l'habitude qu'on lui dise non. Louise élabora un plan

en hâte : elle cacherait la robe dans l'armoire, sous les autres. Ainsi elle saurait toujours où elle était. Elle pourrait alors retrouver sa vie dans le Connecticut à tout moment, maintenant qu'elle savait que le pouvoir magique résidait dans le tissu de la robe vintage. *En espérant que cela fonctionnait toujours ainsi*, se dit-elle avec une légère anxiété. Car elle était vraiment très, très loin de chez elle.

— Ce palais est magnifique, commença Louise de derrière le paravent, tout en s'acharnant à délacer sa chemise corsetée, dans l'espoir d'obtenir un indice sur l'endroit où elle se trouvait.

— Un palais ? Mais c'est ma maison de jeu, idiote ! gloussa de nouveau la fille. Es-tu enfin prête ? Allons te faire respirer. Ces corsets ralentissent la circulation du sang vers le cerveau. Je voudrais qu'on puisse toujours porter ces robes d'après-midi !

D'un autre côté, si ce lieu était considéré comme une maison de jeu, Louise ne voulait plus jamais rentrer chez elle. C'était la pièce la plus magnifique dans laquelle elle se soit jamais trouvée. Même les poignées de porte semblaient en or ! Cette fille devait avoir des tonnes d'argent.

Quand Louise était petite, elle avait dessiné les plans détaillés de la maison de jeu de ses rêves. Avec une roseraie, des passages secrets, un toboggan aquatique et un salon pour prendre le thé. Après qu'elle les avait montrés à son père, il lui avait dit qu'il engagerait quelqu'un sur-le-champ pour y travailler. Louise n'avait pas réalisé qu'il plaisantait, elle y croyait vraiment. Apparemment, lorsque cette fille-là avait demandé une maison de jeu, on l'avait écoutée. Et prise au sérieux, alors qu'elle n'était qu'une petite ado. On lui avait construit la maison la plus géniale du monde, encore plus somptueuse qu'une belle demeure pour adultes. Louise, quant à elle, avait dû se contenter de se bâtir un fort avec des draps et des cartons dans son dressing, où elle servait le thé à ses Barbie.

— Votre Altesse ?

Une femme qui devait être une servante, en uniforme écarlate et argent, avec un tablier blanc immaculé, pénétra dans la pièce en baissant les yeux avant de faire la révérence.

— Oui ? répondit la fille avec nonchalance.

Elle avait répondu à « Votre Altesse » ? Elle devait donc être une princesse, ce qui signifiait que Louise était, selon toutes les apparences, amie avec une personne issue d'une famille royale. Cool !

— Le thé est servi.

CHAPITRE 14

— Pardonnez-moi. Ceci vient d'arriver d'Autriche, de votre mère.

Une autre servante en robe écarlate venait de faire irruption dans la pièce. Avec une petite révérence elle tendit une épaisse enveloppe blanche posée sur un plateau en argent à la fille au nid-d'abeille, qui la prit et la déchira sans précaution. Puis elle s'installa dans un fauteuil et se concentra sur la missive, en suivant les mots avec son doigt, comme si elle avait de grandes difficultés à lire. Au fur et à mesure de sa lecture, Louise vit que des larmes perlaient au coin de ses yeux gris-bleu. Elle jeta la lettre par terre dans un geste colérique et sortit en trombe de la pièce.

Que s'était-il passé ? se demanda Louise. Elle ramassa discrètement le parchemin mouillé de larmes tombé sur le tapis. Elle parcourut rapidement la lettre, calligraphiée à l'encre noire en caractères épais, visiblement envoyée par sa mère.

Ma fille chérie,

Ne négligez pas votre apparence… je ne vous avertirai jamais assez de ne pas vous laisser aller à commettre les mêmes erreurs que celles de la famille royale de France ces derniers temps. Certes, ils sont sans doute bons et vertueux, mais ils ont oublié la manière de se tenir devant leurs sujets, et comment donner le ton pour la nation… C'est pourquoi je vous implore, à la fois comme votre tendre mère et votre amie, de ne pas vous laisser aller à la nonchalance lorsque vous vous conformez au protocole de la Cour. Si vous ne suivez pas mon conseil, vous le regretterez, mais ce sera trop tard. Sur ce point vous ne devez pas suivre l'exemple de votre famille française. C'est désormais à vous de donner le ton à Versailles.

Ouh là là ! Ce n'était pas là exactement le message le plus affectueux ou compréhensif envoyé par sa « tendre mère ». On attendait de cette jeune fille qu'elle donne le ton… à Versailles… par le choix de ses vêtements ? Louise commençait un peu à s'y retrouver. La mère de Louise lui avait mené la vie dure avec ses vêtements vintage, d'accord, mais là, cette lettre ressemblait presque à une menace ! Et pourquoi sa mère lui écrivait-elle, d'ailleurs ? Ne vivait-elle donc pas avec sa fille ? Oh, oh… une minute… Miss Morris n'avait-elle pas tout récemment parlé de Versailles, en cours ? Louise réfléchissait à toute vitesse. Cette fille semblait si jeune pour vivre loin de chez elle ! Quoique cela valait peut-être mieux, car d'après la lettre, sa mère ressemblait plutôt à la vilaine marâtre des contes de fées.

Elle reposa le parchemin sur un fauteuil et quitta la pièce pour essayer de retrouver la princesse. Elle pourrait peut-être lui remonter le moral ? Elle déboula dans un vaste hall carrelé en blanc et noir, et eut aussitôt le souffle coupé. Elle se retrouva en face d'un miroir doré au fronton en demi-lune, accroché au-dessus d'une console en teck. Elle n'avait pas envie de regarder, mais comment s'en empêcher ? C'était comme si un champ magnétique l'y attirait irrésistiblement. Louise approcha lentement pour examiner son reflet.

Elle s'y attendait, mais c'était quand même toujours un choc. Elle découvrit instantanément l'image d'une fille de douze ans qui lui adressait un sourire hésitant, avec ses cheveux frisottés habituels et tout le reste, vêtue d'une robe violette très élégante. Revoir son visage aux bagues familières dans le miroir au reflet un peu flou était à la fois réconfortant et déprimant. Elle n'avait pas le temps de regretter la vraie Louise, et elle lui tourna vite le dos, pour s'assurer que personne ne la regardait.

Elle sortit par la majestueuse double porte-fenêtre et découvrit un magnifique jardin, tout droit sorti d'un conte

de fées. Une table ronde était dressée avec des assiettes et des tasses de thé en porcelaine fine, une verseuse en porcelaine débordant de lis blancs et de lilas violets odorants fraîchement coupés. Des assiettes de gâteaux et des pots d'une confiture rouge vif étaient disposés sur la nappe en lin blanc. De petites abeilles tourbillonnaient autour de la gelée de framboise sucrée.

Deux personnes avaient déjà pris place. Une fille qui semblait de l'âge de Louise avec le teint pâle, des yeux bleus très doux et des cheveux blond doré coiffés en hauteur dans une version moins exagérée que celle de la princesse, et partiellement dissimulés sous un chapeau. Elle portait le même genre de robe en mousseline que Louise, mais dans un ton vert. L'autre femme, bien plus âgée, avec des cheveux châtains ternes et des yeux gris froids comme de l'acier, était vêtue d'une robe beige à manches longues toute raide, beaucoup plus apprêtée. Comme elle était plutôt enrobée, ses poignets semblaient avoir été enfournés dans les manches comme des saucisses gainées de soie. Était-elle le chaperon, ou quelqu'un du même genre ?

Louise tripota instinctivement sa coiffure qui commençait à la gratter, et fut surprise de la trouver également arrangée en hauteur, bien rigide, mêlant ses cheveux à un postiche très fourni qui avait l'épaisseur de crin de cheval. Elle en extirpa un petit bout de métal pointu. Qu'est-ce

qu'elle pouvait bien avoir sur la tête ? À en juger par la texture compacte et agglomérée, Louise préféra ne pas savoir quand cette Gabrielle s'était lavé les cheveux pour la dernière fois.

— Macaron l'a trouvée… dans l'armoire ! s'exclama la princesse en s'approchant de la table.

Elle essuya la dernière larme qui avait coulé sur sa joue et déposa négligemment le shih tzu dans l'herbe, à côté de deux autres petits chiens blanc et marron qui jappaient et jouaient autour de la table.

— N'était-ce pas intelligent ? J'adore ce genre de jeu. Recommençons après le thé !

Un chevreau esseulé s'approcha dans la clairière et la princesse lui donna un petit gâteau, qu'il dévora avec avidité en léchant ensuite les miettes qui restaient dans sa main, ce qui la fit glousser de rire.

— Merveilleux ! approuva la fille aux cheveux blond doré en applaudissant.

Louise sourit, en essayant de se comporter comme s'il ne s'était rien passé d'extraordinaire. Comme si elle était exactement là où elle devait se trouver. Ces filles avaient toutes l'air de lycéennes, mais elles adoraient toujours jouer à cache-cache et prendre le thé dans le jardin de leur gigantesque maison de jeu, avec de vrais animaux de ferme miniature pour agrémenter ce tableau idyllique. Peut-être que si Louise restait ici pour toujours elle n'aurait pas à grandir, finalement. Et elle pourrait rester enfant, même si elle allait sur ses treize ans.

Elles attendirent que la princesse s'assoie avant de commencer à verser le thé brûlant et se servir en pâtisseries.

— C'est la maison de jeu la plus belle où je sois jamais allée ! s'exclama Louise en beurrant un croissant croustillant.

— N'est-ce pas ravissant ? soupira la princesse. J'adorerais rester tout le temps ici. Je n'ai jamais envie de retourner à Versailles. Louis sait à quel point l'étiquette et toute la cérémonie du palais ont mis ma patience à l'épreuve, alors il me l'a offerte. Au Petit Trianon, je suis vraiment moi !

Louise regarda autour d'elle. La table avait été installée dans la clairière d'un beau jardin artificiellement sauvage, bordée de rosiers et de lys luxuriants, près d'un vaste lac tranquille agrémenté d'une petite passerelle en bois. Des vaches et des moutons paissaient en liberté dans l'herbe haute. Il y avait aussi des orangers et des buissons de roses plantés de-ci de-là, mais cela semblait tout naturel dans ce singulier pâturage. Une femme vêtue d'une robe longue en mousseline grise, portant un seau à lait argenté, menait une vache par une longe confectionnée dans un ruban de soie bleu, avec un nœud qui ornait le cou de la bête. On se serait cru dans un décor de campagne anglaise, mais d'après la lettre Louise savait que c'était en France. C'était presque trop parfait, comme une campagne idéale ne pouvant exister dans la réalité, créée par une personne qui l'aurait rêvée.

En regardant dans la clairière, Louise croisa le regard d'un jeune jardinier très mignon, avec d'épais cheveux châtains ondulés, en veste et pantalon noirs, qui taillait des rosiers avec une grosse cisaille. Il détourna vite les yeux en rougissant, comme s'il ne voulait pas la regarder. Peut-être cette Gabrielle était-elle disgracieuse ? Ou louchait-elle ? Ou… quoi d'autre ? Elle essaya de ne pas le prendre trop à cœur.

— Qui est-ce ? chuchota-t-elle en le montrant d'un signe de tête.

Peut-être flirtait-il déjà avec l'une de ces filles ?

Les gloussements cessèrent aussitôt et un silence absolu tomba sur la petite assemblée.

— Qui ? finit par demander la princesse, comme s'il n'y avait personne alors que le garçon était à peine à quelques mètres.

— Le garçon là-bas, expliqua-t-elle. Celui qui taille les rosiers.

Le silence s'épaissit. Louise sentit le rouge lui monter aux joues tandis que les filles la dévisageaient avec curiosité. Puis la tablée éclata de rire, comme si elle venait de dire la plaisanterie la plus drôle du monde.

— N'est-elle pas impayable ? entendit-elle. Gabrielle a un merveilleux sens de l'humour !

Louise baissa la tête. C'était incompréhensible !

— Gabrielle, peux-tu passer le sucre à la princesse de Lamballe ? lui demanda la princesse après que les rires s'étaient calmés, changeant complètement de sujet.

Elle tendit à Louise un sucrier délicat en porcelaine, dont dépassait une minuscule cuiller en argent. *Eh... ce nom n'était-il pas lui aussi familier ?*

Louise scruta l'autre fille et la femme assises en face d'elle. Aucun indice sur laquelle des deux avait besoin de sucre pour son thé... La princesse était-elle « Robe Marron » ou « Robe Verte » ? Gabrielle devait connaître la réponse, mais la vraie Louise n'en avait pas la moindre idée.

Après quelques instants d'hésitation, elle tendit le sucrier à Robe Marron : son attitude guindée et sa posture hautaine lui conféraient un air plus royal que l'autre. Mais celle-ci le fit passer à Robe Verte, avec un air légèrement embarrassé. Oups ! Robe Verte, la princesse de Lamballe, versa une grosse cuiller de sucre dans son thé et leva les yeux vers Louise.

— Voilà une manière bien détournée de faire les choses, n'est-ce pas ? s'étonna la princesse.

Robe Marron lui lança un regard surpris très appuyé. Louise eut l'impression qu'elle lisait à travers elle. Elle prit une gorgée de thé à l'orange et essaya d'ignorer ce regard perçant en se concentrant pour étaler de la confiture sur son pain, comme si combler tous les trous et aspérités de la tartine avec cette substance rouge brillante était la tâche la plus importante du monde. S'adapter serait plus difficile qu'elle ne l'avait cru au début. Il faudrait qu'elle soit un peu plus prudente.

Soudain un tumulte de bruits de sabots et de chiens hurlant se fit entendre. Une meute de chiens de chasse, suivie de cinq cavaliers vêtus de pourpoints bleu marine ornés de gros boutons dorés et d'un galon rouge et blanc, fit irruption à la porte du jardin.

Macaron et les autres minichiens jappèrent de terreur et foncèrent sous la table pour se cacher dans les replis des robes longues des filles. Les dames se mirent à ricaner et à rougir, se transformant immédiatement en nunuches écervelées. Exactement comme si les stars de l'équipe de hockey de la classe de quatrième étaient venues s'asseoir à leur table à la cantine de Fairview. *La plupart de ces hommes ont l'air vieux*, remarqua Louise, et aucun n'était aussi craquant que le nouveau garçon de ses pensées, qui était toujours là, désormais à genoux, en train de désherber les plates-bandes. Elle savait très exactement ce qu'il était en train de faire, car elle lui jetait un coup d'œil en douce de temps à autre.

— Ma chère épouse, héla le plus dodu d'une voix nasillarde en haletant.

Il ôta son tricorne orné d'une plume blanche, qui révéla une coiffure très élaborée avec des rouleaux sur les côtés, et une queue-de-cheval épaisse retenue par un ruban en soie noir.

Pitié, pria Louise en silence. *Mon Dieu, faites que ce garçon ne parle pas à Gabrielle !*

Elle fut plus que surprise quand elle entendit la princesse répondre avec douceur :

— Oui, mon chéri ?

Oh là là, cette jolie ado était déjà mariée ! Et à ce type ?

— Je serais honoré si vous pouviez me retrouver au château ce soir à 19 heures 30. Nous recevons de distingués dignitaires de l'armée suédoise, et il serait préférable que vous y assistiez.

Il le lui demandait, mais d'une manière qui rendait très clair le fait qu'elle ferait mieux de s'y rendre. Un peu de la même façon que la princesse l'avait priée de changer de robe. Même si c'était formulé comme une suggestion, elle n'avait pas eu le choix.

— Bien sûr, j'en serai ravie, répondit la princesse d'un ton morne.

Elle était la seule à table à ne pas être dans tous ses états après cette arrivée tonitruante. En fait, elle avait presque l'air de s'ennuyer.

— Nous sommes impatientes. Je vous souhaite une bonne partie de chasse.

Robe Marron et la princesse de Lamballe semblaient trop occupées à faire des minauderies en se cachant derrière leur éventail tout en battant des cils à l'intention des hommes pour remarquer le changement d'attitude de la princesse.

— Merveilleux. À tout à l'heure, donc, conclut-il.

Il replaça avec maladresse son tricorne sur sa tête et faillit tomber de son cheval alezan pommelé dans la manœuvre. Un petit ricanement s'échappa de la bouche pincée de la princesse.

Louise se mordit la lèvre. Quelle était donc cette famille royale avec qui elle allait dîner ?

Après cette petite scène un peu embarrassante, il quitta les lieux avec les autres cavaliers et s'engagea dans les bois au milieu d'un nuage de poussière, suivi de la cacophonie des chiens excités.

CHAPITRE 15

— Je dois me préparer à accueillir ces gens, je suppose. Nous remettrons nos jeux à demain, annonça la princesse d'un ton sinistre.

Elle donnait l'impression qu'elle allait se rendre à un enterrement plutôt qu'à une fête !

Le soleil brillait haut dans le ciel sans nuages. Selon Louise, c'était le milieu de l'après-midi. Et la fête n'avait-elle pas lieu dans la soirée ? Combien de temps fallait-il à cette fille pour se préparer ?

— Je vais t'accompagner, proposa gentiment la princesse de Lamballe en se levant.

Elle avait l'air de tout faire pour obliger la princesse. Sous le large bord de sa capeline, Louise remarqua ses joues rosies et son sourire avenant. La princesse de Lamballe aplatit les plis de sa robe verte froufroutante, et les deux filles se donnèrent le bras comme on le fait entre meilleures amies.

— Merci beaucoup, cher cœur. Gabrielle, Madame Adélaïde, nous vous verrons ce soir à 19 heures 30. Ne soyez pas en retard, je vous prie, recommanda la princesse avant de prendre congé.

Louise était invitée à une soirée chic avec la famille royale et des dignitaires étrangers. Trop cool ! En à peine quelques heures (et peut-être quelques siècles aussi), sa vie sociale était devenue cent fois plus excitante !

Les filles quittèrent le jardin avec Macaron et les autres petits chiens qui les suivirent fidèlement. Louise réalisa alors qu'elle se retrouvait seule à table avec cette femme qui, après plus ample inspection, avait l'air assez âgée pour être sa mère. Celle-ci la regardait comme si Louise avait des épinards coincés dans les dents de devant.

— Je devrais peut-être y aller aussi, suggéra finalement Louise, mal à l'aise devant le silence et le regard pénétrant de sa compagne.

Elle commença à rassembler les assiettes pleines de miettes pour débarrasser, une habitude ancrée en elle dans son autre vie, où les mères attendent cela de leurs filles. Mais elle s'arrêta brusquement quand elle vit l'air désemparé de l'autre femme. Louise reposa les tasses qu'elle avait empilées. Si elles étaient dans un palais, il y avait certainement des gens préposés à ce genre de tâche !

Comme sur un signal, la femme au tablier qui avait annoncé le thé un peu plus tôt sortit de la maison avec un grand plateau en argent et un torchon blanc immaculé sur le bras, suivie de trois autres femmes en uniforme identique pourpre et argenté. Qui que soit cette Gabrielle, elle ne faisait pas la vaisselle, c'était sûr. Il fallait donc que Louise s'en souvienne. Cela devait d'ailleurs valoir aussi pour toutes les autres corvées. *Super*, elle s'y ferait sans problème !

— Allons-y ensemble, nos appartements sont contigus. C'est plus que raisonnable.

Argh ! Génial ! Elle n'allait jamais pouvoir se dépêtrer de cette femme ! D'un autre côté, réfléchit Louise, ce serait bien d'avoir quelqu'un qui la conduise chez Gabrielle, car elle n'avait pas la moindre idée de l'endroit où cela se trouvait. À en juger par l'immensité de ces lieux, elle pourrait y errer une journée entière, et elle ne voulait pas rater la soirée.

— La dauphine est toujours tellement ravissante, n'est-ce pas ? lui demanda Madame Adélaïde en refermant la haute grille en fer dorée à la feuille d'or qui délimitait l'entrée de la maison de jeu.

Elles commencèrent à traverser de magnifiques jardins.

La dauphine ? Qu'est-ce que c'était que ce truc ? À moins que ce ne soit une personne ? Ah, ça devait être la princesse...

— Oh oui ! approuva-t-elle avec enthousiasme.

— C'est dommage que cela ne puisse pas durer toujours, fit remarquer Adélaïde avec ambiguïté, en coulant un regard à Louise comme pour guetter sa réaction.

— En effet, continua à approuver Louise qui ne savait que dire d'autre.

Qu'est-ce que cela voulait dire ? songea-t-elle. Elle n'avait pas envie de papoter avec cette femme, par crainte de faire des gaffes. De plus, elle était complètement accaparée par le décor fabuleux qu'elle traversait.

Louise respira une grande bouffée de l'air frais chargé de senteurs de lilas et de chèvrefeuille. Ces jardins ne ressemblaient à rien de ce qu'elle avait déjà vu. Ils étaient beaucoup plus structurés que l'ambiance de hameau sauvage du Petit Trianon. Des rangées d'arbres en topiaire dessinaient des figures géométriques bien nettes. Elles empruntèrent une allée de gravier blanc qui longeait une vaste pelouse rase ornée de douzaines d'urnes et de statues en marbre brillant, qui avaient plus l'air d'appartenir à un musée qu'à un jardin. Des bancs en marbre couleur crème étaient placés à intervalles réguliers sous des peupliers, afin que l'on puisse profiter de l'ombre et admirer les parterres de roses et de jasmin qui se reflétaient dans des bassins. Elle entendit des chants d'oiseaux, et les clapotis de l'eau qui jaillissait d'une multitude de fontaines. Il y eut un léger frémissement dans un buisson tout proche et Louise crut apercevoir le même jardinier mignon se dissimuler prestement derrière un massif en topiaire. Cela ne la dérangerait pas du tout de le croiser à nouveau ! Peut-être saurait-il qui était Louise, ou plutôt Gabrielle ?

Elles débouchèrent enfin devant deux immenses bassins rectangulaires, bien plus grands que toutes les piscines olympiques où Louise avait déjà nagé (quoique ceux-ci avaient de toute évidence l'air d'être seulement décoratifs). Quatre statues en bronze de figures mythologiques décoraient les coins de chaque bassin. Le soleil de l'après-midi qui se réfléchissait dans l'eau était presque aveuglant. Elle mit sa main en visière devant ses yeux et releva la tête, pour découvrir un palais somptueux.

Elle entendit sa compagne soupirer distinctement, apparemment elle aussi submergée par la beauté du décor, même si à la différence de Louise elle avait déjà dû le contempler un millier de fois.

— Versailles… s'extasia Adélaïde. N'est-ce pas une vue absolument incroyable ?

C'était là le bâtiment le plus gigantesque et le plus imposant qu'elle avait jamais vu. Le grand château semblait s'étirer à l'infini. Des fenêtres en demi-lune donnant sur d'imposants balcons, flanquées de colonnes en marbre décoré et de statues classiques s'ouvraient sur les deux niveaux de la construction. Des gardes en uniforme montaient une garde vigilante dans le périmètre autour du château.

Louise, bouche bée, absorbait la vision majestueuse, souffle coupé.

— Oh oui, acquiesça-t-elle finalement. Ça valait vraiment le voyage.

CHAPITRE 16

Louise essaya d'emboîter le pas à Adélaïde, qui se hâtait dans le vaste hall en marbre vers leur aile du palais, tout en essayant d'admirer les fresques au plafond, les décors des murs et les immenses peintures à l'huile qui y étaient accrochées. Les dimensions gigantesques des pièces et les collections d'art qui recouvraient la moindre surface lui donnaient l'impression de traverser le Metropolitan Museum de New York. Madame Adélaïde s'excusa abruptement, expliquant qu'elle avait dû oublier ses gants en soie préférés au Petit Trianon. Ces gants devaient être vraiment spéciaux, parce que Louise aurait juré que leur marche avait bien duré une heure !

Elle avait envie d'explorer le palais avant la fête de ce soir. C'est vrai, elle se retrouvait soudain à vivre dans un château en France, comment ne pas jeter un coup d'œil ? Elle tourna dans la direction opposée à celle de la femme et parcourut un couloir voûté carrelé en noir et blanc où résonna le clic-clac de ses mules violettes à l'ancienne (qu'elle trouva ravissant). De majestueuses fenêtres en demi-lune, éclairant un côté du couloir, donnaient sur la terrasse qui surplombait une vue spectaculaire sur les somptueux jardins.

Elle faillit écrabouiller une meute de petits chiens jappant qui la dépassèrent en dérapant sur le sol en marbre, à la poursuite hystérique d'un chat persan blanc ébouriffé de rage indignée. Le félin s'enfuit dans un couloir aux murs dorés à la feuille d'or. Louise se pinça le nez. Elle commençait à être un peu étourdie. Il régnait ici une odeur entêtante et pénétrante, une combinaison de talc parfumé, de fleur d'oranger et de crotte de chien. Elle n'avait jamais vu d'endroit plus extravagant et plus crasseux à la fois !

Elle jeta un œil dans la première pièce sur sa droite, car la porte en avait été laissée négligemment entrebâillée. Elle était si haute que Louise arrivait tout juste à en atteindre la poignée. Elle commençait à se sentir comme un personnage dans *Alice aux pays des merveilles* ! La pièce était tapissée d'un papier peint à motif floral compliqué, débordant de vigne, de bouquets de lys et de plumes de paon, assorti au motif brodé de la courtepointe et au ciel de lit accroché derrière le dosseret du lit. Un buste de la princesse était mis en valeur sur le manteau de la cheminée décorée, sous le portrait d'un homme avec une coiffure à la George Washington, vêtu d'un uniforme bleu marine et rouge avec des boutons dorés, que Louise ne reconnut pas. Deux lustres en cristal pendaient assez bas depuis le plafond décoré à la peinture à l'huile, au bout de lourdes chaînes dorées. Une vitrine à bijoux en acajou de style néoclassique était adossée à un mur juste à côté d'une petite porte qui se fondait presque complètement dans le décor de papier peint. Il faudrait que Louise se souvienne de cette sortie secrète si jamais elle jouait à cache-cache dans le palais.

Elle fut surprise de découvrir la dauphine – *ce qui voulait donc dire « princesse »*, avait-elle déduit – pieds nus sur le parquet brillant au centre de la pièce, vêtue en tout et pour tout d'une combinaison couleur pêche. Elle avait croisé les bras devant elle pour protéger sa frêle silhouette et elle était entourée de dix femmes au moins, dont la princesse de Lamballe que Louise reconnut grâce à sa robe verte, maintenant que son visage de chérubin n'était plus dissimulé par son chapeau. À la différence de la dauphine, toutes les autres femmes étaient habillées de longues robes à tournure avec corsets ajustés. Elle n'avait presque rien sur le dos, ses cheveux blond cendré rassemblés en une natte lâche, et deux cercles d'un rouge vif s'étalaient sur ses joues. Louise essaya de se retenir d'éternuer quand elle respira une bouffée asphyxiante de poudre et de parfum floral qui lui titilla le nez. L'une des femmes aida la dauphine à enfiler un corset ajusté, qu'une autre laça fermement dans son dos. On aurait dit que chaque personne de l'assistance tenait un rôle particulier, dans une chorégraphie réglée au millimètre, comme si ce rituel avait lieu

chaque jour. La princesse de Lamballe attendait l'approbation de la dauphine, une luxueuse robe rouge dans ses bras. Louise revit dans un flashback son rêve bizarre dans lequel des femmes vêtues de robes anciennes lui faisaient revêtir la belle robe vert d'eau. Il y avait quelque chose de très similaire entre ces deux scènes. Peut-être ce rêve était-il une prémonition de son aventure dans le temps ?

— Excusez-moi !

Louise fut brutalement rappelée à la réalité quand une grande femme avec un long nez busqué et un chapeau à plume noire, vêtue d'une cape en velours sombre, la bouscula légèrement sans lui prêter plus attention et se précipita dans la pièce sans se soucier de refermer la porte.

Tout le processus s'arrêta instantanément. La princesse adressa un léger signe de tête à l'arrivante, qui retira sa cape. La robe couleur coquelicot soutenu à large tournure fut replacée sur son cintre rembourré par la princesse de Lamballe qui la tendit ensuite avec déférence à la femme. La dauphine tremblante, toujours à moitié nue et de toute évidence frigorifiée, avait l'air complètement impuissante. Enfin, après avoir pris délibérément tout son temps pour retirer ses longs gants d'équitation marron, la femme au chapeau noir l'aida à enfiler la robe rigide et boutonna le dos avec soin. La princesse de Lamballe fixa ensuite la longue traîne en soie rouge. Ça semblait tellement dépassé ! Pas étonnant qu'elle ait commencé à s'habiller pour le dîner en plein milieu de l'après-midi ! Cela pouvait prendre la journée, tout dépendait du rang des invités à impressionner !

— Je vais mettre mon rouge et me laver les mains devant tout le monde, dit la dauphine.

Personne n'ouvrit la bouche.

Louise se sentit soudain très triste. Elle n'aurait pas cru que ce soit possible de plaindre une princesse avec une maison de jeu pareille et qui vivait dans un vrai palais. Mais elle ne pouvait pas s'imaginer devoir s'habiller en public tous les jours, sans pouvoir choisir ses vêtements soi-même. D'après la lettre de sa mère, il était clair que la princesse y était obligée par la tradition de la Cour et l'étiquette. Elle avait beau être au centre d'une pièce remplie de gens, elle paraissait extrêmement seule.

— Quelqu'un pourrait-il fermer la porte, je vous prie ? Le courant d'air est épouvantable, ordonna la princesse, le visage morose.

La porte incrustée d'ivoire se referma au nez de Louise avec un claquement sec. Elle se mit sur la pointe des pieds et laissa courir sa main sur les reliefs sculptés du panneau supérieur, suivant le contour du bout de ses doigts. Elle réalisa à mi-chemin que ce n'était pas une arabesque abstraite, mais un monogramme. Elle recula pour le distinguer de plus loin et découvrit les lettres « *MA* » sculptées avec une calligraphie raffinée. Ça aussi, ça semblait familier.

Cette chambre était celle de MA ? Versailles… palais… le luxe à la française… oh !

Elle ne connaissait qu'une seule femme qui avait vécu à Versailles. Une figure historique très impopulaire dont avait commencé à leur parler Miss Morris l'autre jour. Mais ce n'était pas logique. Ce palais était si extraordinaire et intact ! Et la dauphine n'était pas une femme adulte. Elle n'avait probablement que quelques années de plus que Louise, pas plus de quatorze ans, sans doute. Comment était-il possible que la future reine de France, la femme de Louis XVI, ne soit qu'une ado ?

Oh mon Dieu. Ça devait être… Marie-Antoinette. Et elle avait toujours sa tête sur ses épaules.

CHAPITRE 17

Louise s'écarta vivement de la porte, derrière laquelle se tenait l'une des femmes les plus célèbres de l'histoire de France, frigorifiée dans son corset en attendant d'être vêtue par les membres de sa cour. La porte ouverte !

Elle partit en courant vers ses appartements, toujours sous le choc, les talons de ses chaussures extravagantes résonnant en écho dans les couloirs déserts. Était-ce vraiment elle ? Gabrielle était-elle membre du cercle intime de Marie-Antoinette ? Quoique celle-ci ne ressemblait pas du tout au portrait évoqué par Miss Morris. C'était juste une fille, une jeune ado avec un mignon petit chien, qui aimait jouer à cache-cache et prendre le goûter dans sa maison de jeu. Elle ressemblait à Louise sur pas mal de points, finalement. Elle se remémora les récits horribles de la Révolution française et la fin tragique de la famille royale avec lesquels son professeur, par ailleurs ennuyeuse à mourir, avait choqué la classe. Ce Versailles-ci semblait complètement le contraire, idyllique et magnifique. Ça n'avait pas de sens. On aurait juré que rien ne pouvait arriver ici.

Lorsqu'elle tourna la poignée de porte dorée de son nouveau domaine, Louise fit une prière silencieuse. Pourvu que toute une assemblée ne soit pas en train d'attendre Gabrielle pour l'habiller ! Ce serait super trop gênant ! Même si un coup de main pour le corset serait plutôt bienvenu, le reste était bien trop compliqué. Sauf que… maintenant qu'elle y pensait, comment allait-elle réussir à bricoler ses cheveux toute seule ? Alors qu'il y avait déjà des jours où elle bataillait pour faire sa queue-de-cheval !

Elle pénétra avec circonspection dans la pièce décorée de panneaux en papier peint à motif floral rose et doré, encadrés de boiseries blanches. Elle y découvrit deux servantes en uniforme assorti blanc, bleu clair et rouge (plus sobres et formels que ceux des servantes du Petit Trianon), qui rangeaient en attendant Gabrielle. Elles n'étaient pas seules. La femme en marron qu'elle avait rencontrée au goûter était aussi dans la pièce… et fouillait dans l'armoire de Gabrielle. Était-elle en train de la détrousser ?

— Excusez-moi ? l'interrompit Louise en se raclant la gorge.

Adélaïde fit volte-face, apparemment surprise de la voir. Bizarre, puisqu'elle se trouvait dans sa chambre !

— Cherchez-vous quelque chose ? reprit Louise.

Les femmes de chambre, occupées à repasser la traîne d'une somptueuse robe en satin vert émeraude, ne semblaient pas prêter attention à leur conversation. Elles se retournèrent brièvement et regardèrent Louise avec curiosité avant de continuer à défroisser la crinoline. De drôles de gardes du corps...

Reprenant contenance, la femme referma aussitôt l'armoire sculptée et s'avança vers Louise d'un pas décidé.

— Excusez-moi, j'ai cru que vous aviez peut-être emprunté ma paire de gants de soirée préférée. Je ne la retrouve nulle part. J'ai dû me tromper, affirma-t-elle sur la défensive.

— Certainement, répondit Louise au hasard.

Elle n'aurait su dire pourquoi, elle avait l'intuition que cette femme mentait. Mais pour quelle raison ? Qu'espérait-elle trouver dans l'armoire de Gabrielle ? Adélaïde avait répondu avec tant de hâte que Louise eut l'impression que ce n'étaient pas vraiment des gants qu'elle cherchait.

— Vous devriez vous préparer pour la soirée, reprit Adélaïde en lançant à Louise un regard critique. Nous sommes presque au coucher du soleil et vous n'avez même pas mis votre perruque.

Pourquoi Louise avait-elle soudain l'impression de se retrouver dans « Sales teignes & Co à Versailles, saison 1, 1er épisode » ? La femme hautaine lui fit un semblant de révérence et sortit de la pièce sans se retourner.

CHAPITRE 18

Dès que la visiteuse fut sortie, les femmes de chambre assaillirent Louise, les bras chargés de vêtements raffinés cousus main et d'accessoires d'une beauté… médiévale. Avant qu'elle ne comprenne ce qui se passait, on lui ôta sa robe d'après-midi lavande et elle fut enveloppée dans un peignoir d'un blanc immaculé qui la fit ressembler à une momie parisienne très chic ! L'une des femmes de chambre, de la taille de Louise mais avec un giron de matrone imposant, grimpa sur un petit tabouret et s'attaqua à son monticule de cheveux châtains avec un fer à friser brûlant qui avait dû être chauffé au feu de bois, car de toute évidence il n'y avait pas d'électricité à l'époque. L'autre femme de chambre, maigre et dégingandée, se mit sur la pointe des pieds et enduisit la construction chevelue de poignées de pommade grasse avant de vaporiser dessus un nuage de poudre blanche qui sentait exactement comme de la farine et en était peut-être, d'ailleurs. Quelle était donc la hauteur exacte de cette coiffure ? Louise se demandait si elle ne ressemblait pas à Marge Simpson vêtue d'une robe hors d'âge, après une séance de déboires en pâtisserie. Ensuite les femmes fixèrent la création capillaire avec au moins une centaine de pinces à cheveux ornées d'un diamant qu'elles sortaient au fur et à mesure des poches de leur tablier.

— Atchoum !

Louise éternua avec vigueur, manquant se brûler le front sur le fer à friser.

La femme qui avait saupoudré la poudre blanche prit ensuite un énorme pot doré rempli de rouge sur la table de toilette ainsi qu'une brosse à maquillage qui avait l'air en crin de cheval pour dessiner deux cercles rouges parfaits sur les joues déjà poudrées de Louise. C'était sûr, le concept de maquillage « nude » n'était vraiment pas de mise à Versailles !

La coiffure et le maquillage terminés, les femmes de chambre laissèrent Louise seule quelques instants pour aller chercher les ultimes accessoires, ce qui lui permit d'explorer un peu plus sa nouvelle chambre fabuleuse. La pièce était peu meublée. Chaque chaise sculptée et son repose-pied étaient tapissés du même brocart rose et doré, assorti aux murs et aux lourds rideaux masquant les hautes fenêtres. Sur une table de toilette adossée au mur, une grande boîte à bijoux en ébène déversait son contenu brillant sur la plaque de verre posée sur le meuble. Un lit à baldaquin en forme de dôme sur une estrade basse déployait ses draperies du même ton que le reste de la pièce.

L'attention de Louise fut attirée par une peinture à l'huile suspendue au-dessus de la cheminée, dans un cadre très orné, représentant une femme assise à une table, les mains croisées. Elle posait d'une manière très naturelle, en robe de mousseline blanche avec un décolleté en V très profond bordé de dentelle, offrant au peintre un doux sourire. Elle portait un chapeau de paille souple avec un ruban bleu et des fleurs sauvages fixées sur le bord, dissimulant en partie ses cheveux châtain cuivré qui auréolaient son visage de leurs boucles qui cascadaient librement. Sa complexion parfaite d'un blanc laiteux était exaltée par ses yeux d'une remarquable nuance violette (totalement naturelle, les lentilles colorées n'avaient pas encore été inventées…). Ça devait être Gabrielle ! Elle était trop excitée ! Si ce portrait était réaliste, Louise était absolument somptueuse, sans discussion !

Avant qu'elle n'ait le temps de savourer cette beauté nouvelle, les deux habilleuses revinrent avec l'immonde corset. Si Louise avait estimé que se plier aux exigences vestimentaires de 1912 subies par Miss Alice Baxter sur le *Titanic* était déjà atroce, là elles atteignaient un niveau d'inconfort inouï. On aurait dit que plus elle remontait dans le temps, plus on comprimait les femmes. Littéralement. Quand les servantes eurent terminé de lacer le corset rendu rigide par des fanons de baleine sur sa fine chemise (et c'étaient de vrais fanons de baleine, elle leur avait demandé pour confirmation !), Louise vit danser des étoiles devant ses yeux, mais pas des étoiles de bon augure. Puis elles lui fixèrent quelque chose qui doubla son tour de taille, de l'aspect d'un gilet de sauvetage, afin que les plis de la robe tombent harmonieusement. Pourquoi venaient-elles de comprimer son buste à mort pour lui rajouter un popotin qui, en comparaison, rendait les formes de Jennifer Lopez anorexiques, ça la dépassait !

— Je… je ne peux pas respirer, gémit-elle.

Elle avait vraiment l'impression qu'elle pourrait à tout moment tomber dans les pommes sur le tapis. Elle avait beau souffrir le martyre et bouillir d'indignation, les deux femmes essayèrent en vain de réprimer leurs éclats de rire. Comme si ne pas avoir assez d'oxygène pour respirer et s'évanouir pour avoir voulu ressembler à un sablier était des plus comiques.

Quoique, s'il existait une récompense pour cette torture, elle arriva sous la forme de la plus fabuleuse robe du soir orange foncé que Louise avait jamais vue. Elle était composée de trois éléments séparés, en soie couleur orange de grande qualité : un corset structuré, une jupe énormissime et une longue traîne. Elle était ornée de rubans de soie dorés entrelacés à l'endroit et à l'envers sur le corset. Les manches étaient rehaussées de petits bouquets de fleurs en taffetas et en soie avec de minuscules feuilles et de pétales couleur jade, tous cousus main.

141

On fit lentement et avec de grandes précautions glisser la partie principale de la robe le long du corps corseté de Louise, comme un rideau de théâtre un soir de première. Quand elle passa les doigts sur le tissu luxueux et les broderies raffinées, toutes ses angoisses de fille de douze ans qui lui trottaient sans cesse dans la tête comme un horrible mantra – trop maigre, trop plate, trop petite, trop bizarre – s'envolèrent. On lui offrait un nouveau départ. Pour la première fois de sa vie depuis son expérience en tant que Miss Baxter, Louise se sentait comme une vraie diva. Levant les yeux vers le majestueux portrait de Gabrielle, elle se sentit protégée et en communion avec cette totale étrangère. Pour une raison qu'elle ne connaissait pas, elle avait été choisie.

Voilà, elle était prête à se rendre à la soirée.

CHAPITRE 19

Après trois vaines tentatives pour quitter la pièce, Louise finit par découvrir (trop spécial !) qu'elle devait se mettre de profil pour franchir le seuil afin de ne pas esquinter sa robe ! Elle entendit de nouveau les rires étouffés de ses deux femmes de chambre, et eut soudain le sentiment que la nuit serait longue.

Le vaste hall était désormais bondé de centaines d'invités sur leur trente et un qui bourdonnaient comme une ruche excitée, tous vêtus dans des variations colorées de la tenue sophistiquée de Louise. Le soleil était en train de se coucher et sa lueur orange faiblissante filtrait mollement à travers les hautes fenêtres. Une rangée éblouissante de lustres en verre suspendus par des chaînes gainées de velours rouge rayonnait des feux de centaines de bougies dégoulinantes.

Les hommes portaient des culottes sombres qui s'arrêtaient au genou et des bas de soie blancs. Ils arboraient tous des jaquettes longues à basques, noires ou bleu marine, enfilées par-dessus des gilets brodés et des chemises en dentelle, avec en touche finale les cheveux – ou peut-être des perruques – poudrés attachés en queue-de-cheval par un ruban en soie foncé. Leurs chaussures en cuir étaient dotées de talons, fermées par des boucles ou des rubans. Mais ils avaient presque l'air insignifiants à côté de leurs compagnes dont les jupes volumineuses aux couleurs de joyaux violets, bleu saphir ou rubis dévoraient les moindres espaces de la vaste salle.

Louise se laissa porter dans le courant de la foule bavarde. Les gens devaient bien savoir où aller, après tout. Sous sa chaussure à broderies argentées, elle sentit soudain le tissu de la traîne de la femme devant elle, qui se retourna vivement pour lui décocher un regard furibond.

— Regardez où vous marchez ! siffla-t-elle comme un serpent.

Ouh là ! Ça allait être un énorme problème, car Louise avait déjà beaucoup de difficultés dans sa vie normale à ne pas trébucher et écrabouiller les pieds de ses camarades, qui eux, ne charriaient pas des kilomètres de traîne en soie fragile dans leur sillage !

— Ma chère Gabrielle ! tinta une jolie voix derrière elle tandis qu'un bras gainé de satin rose se glissait avec grâce sous le sien.

Elle se retourna. La princesse de Lamballe lui souriait avec douceur, ses grands yeux bleus liquides plongés dans les siens. Elle s'était changée pour revêtir une robe rose d'un tissu mat, galonnée de dentelle assortie sur le corset, rehaussée d'un double rang de perles autour de son cou. Des barrettes bijoux disciplinaient ses cheveux blonds en boucles ordonnées sur son front qui mettaient en valeur son visage en forme de cœur. Elle était ravissante.

— N'est-ce pas une délicieuse soirée ? observa-t-elle d'un ton un peu blasé, comme si c'était le quotidien de Versailles.

— Oh oui ! répondit Louise, incapable de dissimuler le sourire géant plaqué sur ses lèvres.

Comment ne pas avoir l'air excitée envers ce que cette fille avait l'air de considérer comme un plaisant dîner de plus ! C'était teeeeellement plus qu'une délicieuse soirée ! songea Louise, en scrutant les gens qui semblaient être les fameux dignitaires étrangers et les femmes du monde qui déambulaient dans le hall. Certains d'entre eux devaient avoir des chapitres entiers à leur nom dans son livre d'histoire ! Si seulement elle pouvait en convaincre ne serait-ce qu'un seul de lui rédiger sa dissertation du trimestre…

— Tu es merveilleuse ! Tu l'es toujours, d'ailleurs ! s'exclama la princesse de Lamballe.

Et pour une fois, Louise le crut.

Les filles avancèrent bras dessus bras dessous en direction de ce qui devait être la salle de banquet royale, désormais débordante de spectateurs.

— Qui sont tous ces gens ? ne put-elle s'empêcher de demander.

— Eh bien, ils vivent ici, pour la plupart, mais Versailles est ouvert à tous comme tu le sais, répondit la princesse, apparemment choquée que Gabrielle ne connaisse pas le fonctionnement du palais. Bien évidemment, pour pouvoir entrer il faut porter un chapeau et une épée.

— Vraiment ? s'exclama Louise, surprise. Euh… oui, bien sûr… je le savais.

Elle pensait qu'un palais était censé être un endroit privé et exclusif. Et là, on aurait dit que la moitié de la France, au bas mot, s'y était réunie ! Elle n'imaginait pas la Maison Blanche peuplée de milliers de résidents, ou encore ouverte à n'importe quel touriste, du moment qu'il portait chapeau et épée. Surtout l'épée… ça lui semblait très improbable.

La salle de banquet était également plutôt étrange. Une grande pièce au parquet ciré brillant, aux murs d'un rouge profond avec un plafond en stuc doré décoré de peintures à l'huile. On aurait dit qu'il était de tradition à Versailles que la cour royale dîne en public.

Au fond de la pièce, une table couverte d'une grande nappe blanche était dressée avec deux candélabres ornés, des assiettes en argent et des soupières. Marie-Antoinette et le peu avenant et dodu Louis XVI, que Louise reconnut grâce à sa visite plus tôt dans l'après-midi, étaient assis côte à côte dans une paire de fauteuils placés en direction du public. Un demi-cercle de chaises en velours bordeaux galonnées de doré occupait le bout de la table, occupé par des dames de la cour. Le reste de l'audience se tenait debout derrière eux à quelque distance.

Louise se remémora être déjà plutôt gênée de croquer son bagel au sésame à la cantine sous le nez des autres. Alors plantée sur une estrade en train de couper ses légumes sous le nez de tout le monde… Était-ce pour cela que Marie-Antoinette était si fluette ? Peut-être était-elle horriblement embarrassée de manger devant tous ces gens.

Louise observa Louis. De la graisse lui dégoulinait du menton. Il dévorait avec gloutonnerie une cuisse de poulet alors que la dauphine demeurait très digne, avalant de temps à autre une petite cuiller de consommé avec sa main gantée de blanc. Sa serviette restait proprement pliée à côté de son assiette. Au contraire, Louis ne s'arrêtait que pour mieux gober un œuf dur ou avaler une gorgée de vin rouge du gobelet que lui tendait un membre de la

Cour, en laissant couler une bonne partie du breuvage le long de son menton. Comme s'il n'avait pas remarqué qu'à peine, à quelques mètres de lui, une foule le contemplait bouche bée. Ces gens avaient-ils jamais un seul moment d'intimité ? Ou l'intimité était-elle un concept récent ? À son avis, le président et la Première dame n'apprécieraient pas ce genre d'invasion.

Une troupe agglutinée de dames en robes de satin bariolées avec d'amples tournures attendaient aussi figées que des statues de marbre pour tendre à Marie-Antoinette une nouvelle fourchette ou un verre d'eau selon ses désirs, ce qu'elle manifestait d'ailleurs rarement. Louise remarqua également que le couple ne s'adressait pratiquement pas la parole pendant le repas. Ils se tenaient raides, droits comme des i, tels des mannequins dans une vitrine de Bloomingdale's ou d'un magasin chic du même genre, tandis que le public observait, fasciné.

La princesse de Lamballe, à côté de Louise, admirait Marie-Antoinette quand elle grignota une minuscule bouchée d'asperge verte, une véritable bouchée de souris. C'était trop glauque. Louise avait besoin de prendre l'air !

— Nous devrions nous asseoir, tu ne crois pas ? lui demanda la princesse en montrant deux chaises vides en face de la dauphine.

Plongeant le regard dans les grands yeux bleus innocents de la meilleure amie de Marie-Antoinette, Louise eut un horrible flashback de Miss Morris derrière son bureau, décrivant de sa voix monocorde comment la tête décapitée de la princesse de Lamballe fut d'abord emmenée chez un coiffeur pour être recoiffée afin que tous la reconnaissent, surtout Marie-Antoinette, avant d'être promenée dans les rues.

— Je vais dans le jardin, murmura Louise d'une voix tremblotante.

La princesse se dirigea alors vers sa chaise et s'y installa avec grâce en arrangeant autour d'elle ses jupes froufroutantes.

Louise frissonna. C'était impossible. La princesse de Lamballe n'était en fait qu'une ado qui essayait de plaire à la fille la plus top de l'école. Et elle comprit soudain que si Gabrielle était l'une des amies intimes de Marie-Antoinette, alors elle aussi courait peut-être le danger de se retrouver la tête brandie au bout d'une pique !

Louise voulait de toutes ses forces retrouver sa vie au Connecticut avant d'avoir la réponse à cette question et qu'il ne soit trop tard. Si seulement elle avait fait ses devoirs d'histoire, elle se serait peut-être rappelé la date exacte de la Révolution française. Pourquoi n'avait-elle pas eu la jugeote d'écouter les cours rasoir de Miss Morris ? Ils

auraient vraiment pu lui rendre service, là, maintenant !
Même lui sauver la vie !

Quelle façon dramatique d'apprendre ses leçons ! Il fallait qu'elle établisse un plan et se débrouille pour avoir la tête bien claire… tant qu'elle en avait encore une.

CHAPITRE 20

Louise sortit en hâte du palais illuminé, dévala les marches qui renvoyaient les rayons du soleil couchant et se précipita dans les jardins. Le crépuscule arrivant, les allées très fréquentées dans la journée étaient presque désertes. Elle porta la main à ses cheveux pour en tortiller une boucle, ce qu'elle faisait d'instinct quand elle était stressée, fatiguée ou avait simplement besoin de se concentrer. Elle se heurta à l'échafaudage interminable tartiné et dur comme un tampon à récurer qu'elle avait sur le crâne. Beurk.

Elle s'engagea sur un étroit sentier, suivant les rayons du soleil sur le gravier blanc qui crissait agréablement sous ses pieds, et se retrouva soudain nez à nez avec son charmant jardinier. Toujours en uniforme, mais son tricorne était dans l'herbe à côté de ses bottines en cuir noir. Adossé nonchalamment à un tronc d'arbre, il riait à ce qu'il lisait dans un journal. Quand il souriait, ses yeux d'un brun intense étincelaient. Elle discerna une fossette sexy sur sa joue gauche.

— Que lisez-vous ? demanda Louise en souriant, après avoir repris contenance.

Elle avait une tendance super pénible à se comporter comme une débile et être timide dès qu'elle tombait sur des garçons mignons. Alors elle repensa à ce sublime portrait de Gabrielle, qui lui insuffla une grande bouffée de confiance en elle. Voilà ce qu'elle était maintenant. Du moins à l'extérieur. Elle fit un geste vers le journal qu'il tenait.

— Rien… rien du tout ! bégaya-t-il en le cachant derrière son dos.

— Qu'est-ce qui est si drôle ? insista Louise, désormais dévorée par la curiosité, puisque le côté flirt ne semblait pas très prometteur.

— Rien, mademoiselle, répéta-t-il en penchant sa tête hâlée écarlate, évitant toujours de la regarder dans les yeux.

Alors Louise réalisa. Avait-il peur d'elle ? Enfin, pas d'elle, mais de Gabrielle. Et de ce qu'elle représentait, quoi que cela puisse être. Comment pouvait-elle lui faire comprendre qu'elle n'était pas vraiment cette femme sans révéler la vérité ?

— Je ne suis pas comme les autres, finit-elle par lui avouer. Vous pouvez me faire confiance.

Il resta muet. Les grillons faisaient un vacarme d'enfer.

— Comment vous appelez-vous ? lui demanda-t-elle en désespoir de cause.

— Je m'appelle Pierre, répondit-il.

— Je suis… Gabrielle, dit-elle, regrettant pour la première fois, dans cet incroyable voyage, de ne pas pouvoir être de nouveau simplement Louise.

Elle avait le sentiment étrange que ce Pierre l'apprécierait plus ainsi.

Quand il leva les yeux, Louise remarqua de petites paillettes vertes subtiles dans ses yeux marron. Il la regarda pour la première fois, visiblement très nerveux. Il devint tout rouge. Très gênée, elle fit la première chose stupide qui lui vint à l'esprit et lui arracha le journal des mains.

Elle déplia les feuilles désormais toutes froissées et découvrit un portrait rudimentaire noir et blanc qui ressemblait de façon frappante à Marie-Antoinette. Sur le dessin, la dauphine était grimée comme un clown avec une coiffure exagérément haute dans laquelle était fixé un bateau miniature. La légende disait simplement « Madame Déficit ». Qu'est-ce que ça voulait dire ? En tout cas, ça ne partait pas d'une intention gentille, c'était évident… un peu comme les petits mots qu'on se passait derrière le dos des gens qu'on voulait descendre pendant le cours de maths. Si Marie-Antoinette tombait là-dessus, le jardinier serait viré, ou pire, elle en était sûre…

Pas étonnant qu'il ait peur d'elle ! Il semblait bien que Gabrielle était l'une des confidentes les plus proches de la princesse. Mais pourquoi lisait-il ce genre de chose ? C'était peut-être l'équivalent des *Gala* ou *Closer* du XVIIIe siècle français.

— Je ne suis pas sûre de comprendre, avoua-t-elle.

Le jardinier émit un soupir de soulagement distinctement audible.

— Mais je le voudrais bien, continua-t-elle.

Pierre se tendit de nouveau aussitôt.

— Je vous en prie, faites-moi confiance, insista-t-elle. Que se passe-t-il en dehors du palais ? Le peuple français est-il heureux ?

D'après son cours d'histoire, elle avait déjà l'impression de connaître la réponse.

— Heureux ? fit-il, troublé, comme si le concept n'appartenait pas à son époque.

— Est-il… content ? l'interrogea-t-elle de nouveau. Dites-moi la vérité, s'il vous plaît.

Pierre resta muet, lèvres pincées, comme s'il ne savait quoi répondre.

— Il souffre. Il n'y a pas assez à manger. Les gens meurent de faim, dit-il doucement, bouleversé par une intense émotion. Il y a de fréquentes révoltes à cause du prix du grain. Mais je vous en prie, n'en parlez pas. Je perdrais mon travail et j'ai besoin de mon salaire pour aider ma famille.

Oh ! Ce gars qui n'avait peut-être que quelques années à peine de plus que Louise entretenait sa famille ! Et ce n'était pas le contraire ? Soudain, ses parents lui manquèrent cruellement et elle ne put s'empêcher de se sentir coupable de son comportement de gamine gâtée de ces derniers jours.

— Je suis désolée, je voudrais pouvoir aider ! s'exclama-t-elle avec sincérité. Et je le peux peut-être. Marie-Antoinette doit être informée de ce qui se passe en dehors de Versailles. Elle y est isolée. Peut-être que si elle comprenait, elle demanderait l'aide du roi...

Louise posa sa main sur celle du garçon sans réfléchir. Elle sentit une petite décharge électrique la traverser des pieds à la tête et la retira vite. Il sursauta légèrement.

Avant qu'elle ne puisse réfléchir sur l'intensité de cet instant, Pierre récupéra hâtivement le journal, remit son chapeau et partit en courant à travers les haies fraîchement taillées sans un regard en arrière ni un au revoir. Apparemment, lui aussi avait été choqué, mais pas dans le bon sens, c'était sûr.

CHAPITRE 21

Plongée dans ses pensées, Louise reprit les allées de plus en plus sombres vers le palais, désormais illuminé et vibrant d'activité. Peut-être pourrait-elle se servir de l'influence de Gabrielle sur Marie-Antoinette pour aider les Français et éviter la révolution sanglante. Mais comment ?

Elle entendit le brouhaha des conversations sur la terrasse, mêlé au son d'une harpe et entrecoupé de rires. Elle respira un grand coup (autant que le lui permettait son corset) et fit une prière silencieuse : si seulement elle pouvait enlever ce truc ! Elle commençait à se sentir de moins en moins Gabrielle.

C'était la soirée la plus décadente et la plus débauchée que Louise ait jamais vue en ses douze ans d'existence. Même la salle à manger des premières classes du *Titanic* semblait coincée en comparaison. Sa mère n'approuverait pas. *Absolument pas*, songea-t-elle en refusant poliment une coupe en cristal remplie de champagne qu'on lui tendit dès qu'elle entra.

Des croupiers en uniforme officiaient dans ce qui ressemblait à un gigantesque tripot avec roulette, jetons et jeux de dés. Les cris de triomphe des gagnants étaient presque noyés dans le vacarme d'un orchestre dans un coin du salon. Un serveur versait du champagne mousseux sur une pyramide de coupes en cristal au centre d'une longue table, qui débordait de douceurs et de gâteaux en un véritable arc-en-ciel de glaçages pastel raffinés, saisis avec avidité par les invités. Qui ne se gênaient pas pour répandre des miettes sur les tapisseries des sièges et les tapis précieux, puis les écraser avec les hauts talons de leurs chaussures à boucles.

Oh mon Dieu ! Sa mère serait folle de voir des adultes si élégants se comporter comme des gamins mal élevés !

Louise repéra immédiatement Marie-Antoinette, rayonnante et fabuleuse dans une nouvelle robe ivoire et or (combien de fois par jour cette fille se changeait-elle ? Louise avait déjà compté trois robes !), qui flirtait et gloussait comme n'importe quelle lycéenne à une soirée. Très à l'aise dans son rôle d'hôtesse, elle évoluait dans la pièce comme si elle patinait sur de la glace, avec une grâce parfaite, la tête penchée d'une façon qui montrait bien que c'était sa soirée. Elle fit une petite pause pour goûter deux desserts, et son exubérance faisait le meilleur accueil aux

invités. Marie-Antoinette était désormais dans son élément, pas de doute. La vraie « it girl » du XVIIIe siècle en France !

Son mari avait l'air beaucoup moins sociable. Au lieu de danser ou de jouer, Louis XVI était attablé avec des hommes d'apparence austère et leur montrait une sorte de cadenas à clé qu'il tripotait nerveusement.

— Il est obsédé par les serrures.

Louise sursauta car elle n'avait pas remarqué qu'Adélaïde s'était approchée d'elle.

— La dauphine trouve cela très ennuyeux. Je ne peux l'en blâmer. Et vous ?

Louise fit un signe de dénégation. Toute la scène lui semblait surréaliste.

— Allons nous asseoir, voulez-vous ? Ces chaussures sont terriblement serrées, continua Adélaïde en soupirant.

Elle tira une chaise devant la table, et elles s'installèrent près d'un groupe d'invités.

— Qui est cette personne ? demanda Louise en indiquant discrètement une femme aux cheveux noir corbeau qui portait une robe écarlate très décolletée, dégoulinant littéralement de diamants et de rubis.

Elle était perchée sur le bras d'un fauteuil dans une pose aguichante, un perroquet vivant vert et bleu installé sur son épaule. L'homme plus âgé somptueusement vêtu qui occupait le fauteuil tendit vers elle une paire de dés. Elle les effleura d'un baiser avant qu'il ne les lance sur le

tapis vert de la table de jeu. Tout le monde les félicita quand ils ramenèrent les jetons devant eux.

— Quel coup magnifique, Votre Altesse !

— Ha ! renifla Adélaïde avec dédain. C'est Madame du Barry, bien sûr.

— Du quoi ? lança Louise, qui n'y comprenait rien, avant de se rappeler qu'elle devait se tenir correctement.

— Du Barry. La maîtresse du roi Louis XV, expliqua une femme assise à côté d'elles, un sourcil levé d'étonnement. Vous ne le saviez pas ? Quant à moi, je trouve toute cette affaire des plus déplaisantes.

— Vraiment ? continua Louise.

Elle faisait tous ses efforts pour comprendre… *du genre, c'était sa petite amie, mais pas réellement ?*

— Euh… si, bien sûr, je le savais, se reprit Louise. C'est juste qu'elle a l'air différent, avec cet oiseau sur son épaule, ou peut-être est-ce un autre détail…

Madame du Barry chuchotait à l'oreille du roi et lui chatouillait la joue avec une longue plume d'autruche noire. Le reste de l'assemblée prétendait ne rien remarquer, ou alors se déchaînait en commérages, de la même façon que Louise et Adélaïde. C'était super étrange. Louise se persuada que Madame du Barry venait de leur lancer un regard noir, après avoir compris qu'elles la dévisageaient. Oups !

Avant de découvrir Versailles, Louise s'imaginait que dans une cour royale tout le monde serait sur son quant-à-soi et respectueux. Quel choc de découvrir que ses dîners chez elle avec ses parents étaient plus formels que celui-ci ! Du vin rouge renversé partout avait laissé de grosses taches sur la nappe. Des jetons de jeu et des cartes à jouer étaient éparpillés n'importe où et des chats dodus et poilus se régalaient du contenu des assiettes à peine touchées par les convives. Quand elle releva son bras, elle vit qu'elle l'avait posé sur un tas de miettes grasses. *Peut-être était-ce à partir de là qu'on avait édicté la règle de ne pas mettre ses coudes sur la table*, songea-t-elle en brossant les fragments qui laissèrent une auréole sur sa manche en satin. Beurk ! Adélaïde éclata de rire devant l'air dégoûté de Louise.

Marie-Antoinette n'avait que quelques années de plus. Pourtant, en cet instant, Louise avait l'impression que l'écart était bien plus important ! Elle aurait voulu se retrouver au Petit Trianon en train de jouer à cache-cache. Ou être de retour au Connecticut à concocter la playlist pour la fête des treize ans de Brooke.

Elle prit un macaron jaune tout joufflu sur le troisième étage d'un plat à gâteaux chargé de sucreries pastel et mordit dedans. Sous la fine coque craquante, une crème à l'arôme citron très prononcé lui emplit la bouche. Demain, elle aurait une discussion avec Marie-Antoinette pour essayer d'aider Pierre et le peuple français, décida-t-elle en croquant une autre bouchée divine. Allait-elle revenir avec cinq kilos de plus au Connecticut, ou resteraient-ils dans le passé ? Il faudrait qu'elle pose la question à Marla et Glenda… en espérant que la deuxième éventualité était la bonne ! Ces pâtisseries françaises étaient bien trop bonnes pour qu'on passe à côté. Ce qui était d'ailleurs impossible car il y en avait partout. D'immenses pyramides de douceurs pastel étaient disposées avec art sur les moindres coins de tables, accompagnées de compotiers débordant de fraises sauvages à la crème épaisse. Versailles n'était pas l'endroit indiqué si l'on avait l'intention de suivre un régime…

— Oh ! Vous devez absolument goûter celui-ci ! recommanda Louise à Adélaïde en saisissant un gâteau rose à la framboise dégoulinant de crème.

Même si son corset en fanons de baleine lui intimait fermement le contraire…

— Mais oui, merci !

Une main blanche prit le gâteau dans la main tendue de Louise. Marie-Antoinette en grignota un petit bout.

— N'est-ce pas là une merveilleuse soirée ? demanda-t-elle avec un clin d'œil coquin. Je crois que les Suédois se divertissent fort. Sortons voir le feu d'artifice, la nuit ne fait que commencer !

CHAPITRE 22

Marie-Antoinette emmena Louise, Adélaïde et un groupe choisi de ses amis les plus proches sur la vaste étendue de pelouse. Elle riait et dans son sillage sa traîne en soie blanche se maculait de boue dans l'herbe saturée de rosée. Louise comprit que cela n'avait aucune importance : il y aurait toujours le lendemain une nouvelle robe fabuleuse à sa disposition.

— Faisons un jeu ! décida la dauphine en battant des mains avec excitation. Tout le monde se cache. Le comte Fersen et moi serons chargés de vous retrouver, ajouta-t-elle en montrant du doigt un homme de haute stature, blond et séduisant, en uniforme de militaire. Je compte jusqu'à dix. Un, deux, trois…

Louise ne put s'empêcher de sourire. Brooke et elle jouaient tout le temps à cache-cache quand elles étaient petites. Les femmes se débarrassèrent de leurs hauts talons et s'éparpillèrent dans toutes les directions. Louise se mit à courir vers la roseraie. Elle appréciait la liberté de pouvoir se laisser aller à retomber en enfance. Courant en bas de soie dans l'herbe humide, elle se dit qu'elle n'avait pas envie de retrouver son ancienne vie, celle où elle allait avoir treize ans et devrait faire la grande. Une vie où ce serait pratiquement impossible de courir dans l'herbe sans se ridiculiser et passer pour une gamine.

Puis elle le vit, et s'arrêta net. Pierre déambulait entre les massifs de roses en sifflant une chanson qu'elle ne connaissait pas, les yeux au ciel, perdu dans ses pensées. Il eut d'abord l'air très surpris, ensuite il sembla presque sourire.

— Bonsoir ! lança-t-il en ôtant son chapeau avec un geste chevaleresque.

— Bonsoir, répondit Louise avec timidité. Je suis contente de vous revoir. Le jardin est ravissant.

— Merci, dit-il en chassant une mèche de son front, l'air sincèrement touché par le compliment. Je m'excuse d'être parti brusquement, tout à l'heure.

— Il n'y a pas de problème. J'ai pensé que j'avais dit quelque chose...

Tout en parlant, elle essayait le plus discrètement possible de replacer sa jupe malmenée dans sa course.

— Non, bien sûr que non, la coupa-t-il vivement.

— J'aimerais en savoir plus sur votre famille. Comment est-elle ?

Louise se sentit un peu coupable d'avoir été distraite un peu plus tôt par de luxueux gâteaux.

— Mon père est cordonnier. Ma mère fait de son mieux pour s'occuper de mes frères et sœurs. Nous sommes six, et c'est dur depuis un moment. Les gens manquent de tout. Quoiqu'ici, vous ne pouvez pas vous en rendre compte.

— Je sais. Versailles est comme un rêve. Ma famille a aussi des problèmes d'argent en ce moment, expliqua Louise, qui pensait au travail de son père, même si elle sentait que ce n'était pas le même genre de soucis financiers que ceux de la famille de Pierre.

— Merci. C'est très facile de parler avec vous. Je ne vous imaginais pas ainsi.

— Euh… merci ? répondit-elle, incertaine.

Était-ce un compliment, ou pas ?

Louise examina sa robe chatoyante. Elle se sentit pleine de confiance en elle, et triste à la fois. Elle n'était pas elle-même, en ce moment précis. Tout semblait tellement surréaliste ! Peut-être trop, même. Elle jouait le rôle d'une jeune fille de la Cour super chic. C'était amusant, certes, mais elle avait en quelque sorte envie que ce soit là sa vraie vie. Bizarrement, elle désirait qu'il se passe quelque chose de travers, quelque chose d'embarrassant, afin qu'elle puisse se reconnaître et savoir qu'elle n'avait pas inventé tout ce fabuleux scénario dans sa tête. Elle n'eut pas à attendre bien longtemps.

— C'est une belle soirée, n'est-ce pas ? reprit Pierre en plongeant ses yeux dans les siens, tout en se rapprochant comme s'il allait l'embrasser.

Mais avant qu'il ne puisse se passer quoi que ce soit, ils furent surpris par ce qui ressemblait à des coups de feu tirés tout autour d'eux. Oh mon Dieu, la Révolution avait donc déjà commencé ?

— Baissez-vous ! hurla Louise en plongeant à terre, mains plaquées sur son visage.

À travers ses doigts écartés, elle vit les gerbes multicolores du feu d'artifice exploser dans le ciel. Louise se releva maladroitement et épousseta sa robe. Pierre s'écarta, rappelé à la réalité par les violentes détonations.

C'était typique ! La vie de Louise était vraiment comme dans un film. Un très bon film étranger, d'accord, mais une saleté de feu d'artifice venait de gâcher sa chance d'avoir son premier baiser ! Elle ne put s'empêcher de se demander où était Todd en ce moment précis...

Enfin, bon, Louise avait presque failli embrasser un Français super sexy. Elle en était sûre. Et personne ne croirait ça à Fairview. Euh... elle non plus n'y croyait pas tout à fait, d'ailleurs. (Comment ? Ah oui, il est super mignon, Français, de l'ancien temps. Non, vous ne l'avez sans doute jamais croisé. Oui, c'est un genre de relation longue distance. Vraiment longue distance. Pré-Skype. Genre deux cent cinquante ans.)

La dernière gerbe bleu et blanc scintillante s'évanouit dans le ciel et le jardin retrouva son calme.

— Eh, vous avez entendu ? demanda Pierre en posant sa main sur son bras.

Louise sentit aussitôt un million de papillons lui chatouiller le ventre.

— Entendu quoi ?

Un bruissement s'éleva à travers les haies.

— Ah, oui ! J'ai entendu, cette fois, acquiesça-t-elle.

— Croyez-vous que c'est nous qu'ils recherchent ? Seraient-ils au courant pour nous ?

Très anxieux, Pierre en oubliait de chuchoter et essuyait ses mains moites sur son uniforme. Il paniquait, c'était évident. Mais à cause de quoi exactement ? songeait Louise.

— Au courant pour nous ? répéta-t-elle, perplexe.

Était-il gêné d'être vu avec elle ?

Les bruissements s'intensifiaient. Quelqu'un, ou quelque chose s'approchait d'eux, très vite.

— Cachons-nous !

Pierre saisit la main de Louise et ils s'accroupirent derrière un gros buisson de roses. Aïe ! Plein d'épines et de machins qui piquaient !

Le bruit de feuilles se transforma en gloussements haut perchés. Familiers.

— Marie-Antoinette ? s'étonna Louise en murmurant à l'oreille de Pierre.

Elle resta bouche bée devant la dauphine et le militaire aperçu lors de la partie de cache-cache : le comte Fersen. Un million de fois plus beau que Louis. Ils les dépassèrent alors qu'ils couraient s'enfoncer dans les profondeurs du jardin, main dans la main. Wouah ! Avait-elle vraiment bien vu ?

Après leur passage, Louise éclata nerveusement de rire, soulagée.

— On dirait que nous avons choisi un lieu de rendez-vous à la mode. Croyez-vous que nous allons découvrir d'autres gens dans les buissons ? plaisanta Louise, enfouie sous les roses.

— Je l'ignore, mais il faut partir, enjoignit Pierre, qui scrutait les alentours avec nervosité, comme si quelqu'un allait jaillir de l'ombre.

Un peu vexée, Louise ne comprenait pas trop cet étrange comportement.

— Merci, dit-il doucement, cils baissés.

Sans rien ajouter il s'enfuit pour la seconde fois dans la nuit noire, laissant Louise frissonner dans un massif plein d'épines.

CHAPITRE 23

Louise fut brutalement réveillée par quelqu'un qui tambourinait à la porte de sa chambre. En plein stress, elle retira son masque en soie rose pour dormir et ouvrit un œil. Comment elle avait réussi à s'endormir après s'être repassé en boucle la soirée dans sa tête, le cou tordu dans un inconfort total à cause des trois oreillers en plume nécessaires pour soutenir sa masse de cheveux, ça la dépassait. Aujourd'hui elle serait bonne pour un sérieux torticolis, c'était sûr.

Marie-Antoinette jaillit en trombe dans la pièce, l'air aussi fraîche qu'une rose baignée de la brume du matin, parée d'une nouvelle robe poudrée comme du blush. Elle tira les lourdes draperies des rideaux pour faire entrer les rayons du soleil.

— Gabrielle, mon cher cœur, roucoula-t-elle.

Au moins, voilà quelqu'un qui était de bonne humeur ! Louise revit en flashback Marie-Antoinette en train de

caracoler dans les jardins au clair de lune en compagnie de ce charmant officier suédois… et pas avec son mari pataud et dodu. Elle eut donc une petite idée de ce qui avait dû se passer.

— As-tu oublié ? Aujourd'hui nous allons à Paris. Dans la boutique de Rose Bertin, pour acheter de nouvelles robes. Tu avais promis !

Elle avait promis ? Hum… d'accord…

Paris ? Du shopping ? C'était plus qu'il n'en fallait pour que Louise oublie son cou endolori et bondisse hors de son lit à baldaquin. Finalement, elle irait à Paris ! Elle se posa soudain une question : vivait-elle à l'ère A-LV (Avant-Louis Vuitton) ? Elle espérait bien que non ! Elle était à peu près sûre que le fondateur Louis Vuitton avait créé l'entreprise au milieu des années 1800. Ce serait trop cool de posséder une malle monogrammée originale ! Si seulement elle avait pu se souvenir des dates de la Révolution française avec plus de précision !

— Ma chère mère m'a encore envoyé aujourd'hui une lettre adorable d'Autriche, annonça Marie-Antoinette en extrayant une feuille de papier crème pliée du corset de sa robe couleur pétale de rose. Puis-je t'en lire un extrait ?

Ma fille chérie,

Ce n'est pas pour ta beauté, qui franchement n'est pas remarquable. Ni pour tes talents, ou ta vivacité d'esprit (tu es parfaitement consciente de n'avoir ni les uns, ni l'autre).

— Y allons-nous ? reprit-elle après un silence.

— Je suis désolée, fit Louise en secouant la tête d'incrédulité, incapable de trouver autre chose à dire.

Elle ne pouvait pas s'imaginer recevoir pareille lettre de la part de sa mère, et eut envie de faire oublier ce mot affreux à sa nouvelle amie. Aussi lui serra-t-elle la main dans un geste affectueux avant de lui sourire.

— Oublie cela pour l'instant. Allons faire les boutiques !

Louise en profiterait pour essayer de parler de la famille de Pierre à la dauphine, ainsi que de tout le reste quand elles reviendraient de leur expédition. Pour l'instant, le moment semblait mal choisi.

— Oh, ça va ! rétorqua Marie-Antoinette. Je sais qu'elle se fait du souci pour consolider l'alliance entre nos deux pays, qui bien sûr ne le sera pas tant que nous n'aurons pas notre premier enfant.

Une ombre de tristesse traversa le visage de la jeune femme, puis en un instant son naturel joyeux reprit le dessus, comme le soleil après une brève averse.

— Même elle ne pourra réussir à gâcher une journée aussi fantastique que celle-ci ! reprit-elle. Je t'attends dans le jardin près du bassin de Neptune. Dépêche-toi, je te prie, ma chère, le carrosse est prêt.

Comme si elles patientaient en coulisses pour entrer en scène, les deux femmes de chambre personnelles de Louise, la grassouillette et la grande perche, pénétrèrent avec détermination dans la chambre, les bras chargés de vêtements et corsets afin de préparer Louise pour son premier voyage à Paris.

CHAPITRE 24

Même si l'habitacle du carrosse était super luxueux, comme tout ce que possédait Marie-Antoinette, avec des sièges en velours rembourrés couleur bleu paon rehaussés d'or, le trajet n'en fut pas moins un calvaire bruyant et cahoteux. Les roues se prenaient dans les ornières des chemins de campagne, secouant les passagères en tous sens comme un navire malmené par la tempête. Marie-Antoinette fut contrainte d'entrouvrir la fenêtre et de pencher un peu la tête à l'extérieur pour que l'échafaudage sur sa tête ne soit pas écrabouillé par le plafond du véhicule. Afin de ne pas avoir le mal de mer, Louise décida de se concentrer sur sa distraction préférée : la mode.

— Quand était-ce, la dernière fois que Rose Bertin t'a fait une robe ? demanda-t-elle, se rappelant soudain que c'était le nom qu'avaient mentionné Marla et Glenda à la vente.

La femme qui avait créé la somptueuse robe vert d'eau de Louise… et qu'elle allait rencontrer… en chair et en os !

— Hier, j'imagine, répondit distraitement Marie-Antoinette. Elle vient me voir deux fois par semaine avec de nouvelles idées, des tissus et des esquisses. Je passerais bien toute la journée avec elle, si je le pouvais. Rose est beaucoup plus intéressante que n'importe lequel des dignitaires barbants que Louis tient à me coller dans les pattes afin que je les divertisse !

— C'est incroyable, soupira Louise.

Elle réalisa soudain qu'elle venait de faire la connaissance d'une personne encore plus obsédée qu'elle par la mode !

— Eh oui, s'extasia Marie-Antoinette, accordant enfin toute son attention à Louise. D'ailleurs, vous toutes, les femmes de ma cour, devez désormais acheter toutes vos robes chez elle uniquement. Dans peu de temps, Paris sera le temple de la mode, et ce sera grâce à Rose et moi. Le reste de l'Europe se tournera vers nous pour savoir ce qu'est la véritable élégance.

C'est donc à cette époque que Paris était devenue synonyme de haute couture ! Et Louise serait témoin de cet événement !

— Tu as raison, à propos de Paris qui deviendra le temple de la mode ! s'exclama-t-elle avec enthousiasme. Comment as-tu découvert Rose ? ajouta Louise, oubliant un instant son rôle de Gabrielle.

— Je l'ai rencontrée par l'intermédiaire de la princesse de Lamballe, bien sûr. Et j'ai immédiatement décelé son talent. Depuis elle travaille en étroite collaboration avec moi, comme tu le sais, ma chère !

Elles traversèrent des kilomètres de forêts et de collines ponctuées de chaumières. Tout commença à se mélanger dans la tête de Louise, jusqu'à ce qu'elle sente des pavés réguliers sous les roues du carrosse. Ça y est ! Elle était à Paris !

— Arrêtez-vous ici ! ordonna Marie-Antoinette au cocher en frappant sans ménagement à la vitre avec sa bague ornée d'un diamant jaune canari gigantesque. Après ce long voyage, une petite marche nous fera du bien. Tu ne crois pas, Gabrielle ?

Louise hocha la tête en silence. Elle faisait de son mieux pour ne pas avoir le mal de mer. Enfin, le mal de carrosse. Un petit comprimé anti-mal des transports comme ceux que lui donnait sa mère, voilà qui l'aurait bien arrangée !

Quand les deux élégantes descendirent de la voiture, la première chose qui frappa Louise, ce fut la puanteur. L'atmosphère était putride, chargée. Une sorte de mélange entre nourriture avariée, sueur et odeurs corporelles. Elle dut se couvrir la bouche de son mouchoir parfumé (qui lui sembla soudain un accessoire des plus avisés à toujours avoir dans ses jupes) pour ne pas avoir la nausée.

Mais pourquoi cet endroit dégageait-il une odeur aussi... répugnante ?

La seconde, ce fut le vacarme. Des vendeurs ambulants proposant du pain, des balais et des huîtres hurlaient à qui mieux mieux pour couvrir les concurrents, et aussi faire oublier le brouhaha des sabots des chevaux qui tiraient leur voiture sur les pavés.

— Faites cirer vos chaussures ! Faites cirer vos chaussures ici même ! braillait de toutes ses forces un homme en redingote rapiécée au bout de la ruelle.

Louise songea alors à la famille de Pierre et comprit soudain sa peur de perdre son emploi de jardinier au château. La vie avait l'air difficile au-delà des grandes grilles dorées.

Paris n'était absolument pas ce à quoi elle s'attendait. Dans tous les films qu'elle avait vus, la ville était comme une carte postale, et des plus romantiques. Elle croyait que les rues seraient remplies des gens les plus à la mode de la planète, flânant en foulards Hermès négligemment noués autour de leur cou, avec des baguettes pointant de leur sac Birkin, ou buvant aux terrasses du café dans de minuscules tasses. Elle apprenait vite que le Paris du passé était tout à fait différent et bien moins cinématographique.

Sa mule en satin à haut talon se prit dans une ornière, et Louise dut se cramponner à Marie-Antoinette pour ne pas s'étaler comme une crêpe sur les pavés tout gluants d'une substance indéterminée, et atterrir dans le caniveau putride plein d'eau stagnante. Des tas d'ordures pourrissaient à chaque coin de rue. Des bambins en haillons avec de grands yeux leur dévorant le visage se tenaient dans les encoignures, mains tendues, mendiant de l'argent ou un morceau de pain. Louise remarqua que les serviteurs qui les escortaient veillaient à ce qu'aucun d'eux ne s'approche. Comme s'ils faisaient de leur mieux pour que la pauvreté reste à la périphérie de la vision de Marie-Antoinette. D'ailleurs, celle-ci ne semblait pas avoir envie de regarder ailleurs que devant elle.

Louise se mit à fouiller dans sa bourse, rangée dans la doublure de son épaisse cape bordeaux, attristée et déconcertée de découvrir tant de souffrance après avoir été isolée dans les excès de la richesse de Versailles.

— Arrêtez ! l'avertit un des serviteurs. Comme vous le savez, si vous commencez à leur donner quoi que ce soit, nous allons être assaillis. Continuez à marcher en souriant. Faites comme la dauphine.

Mortifiée, Louise baissa la tête et poursuivit son chemin le long des maisons tristes maculées de déjections.

— Quand vas-tu donner un héritier au trône ? héla une voix agressive dans la foule.

Louise vit Marie-Antoinette vaciller légèrement à cette question. Un héritier ? Les gens s'attendaient à ce qu'elle ait un fils. Elle avait à peine quelques années de plus que Louise et on lui reprochait déjà de ne pas avoir d'enfant ?

Louise fut attristée de découvrir la souffrance manifeste des Parisiens, mais aussi de voir cette jeune fille porter le poids et la responsabilité d'une nation sur ses frêles épaules. Quoique la dauphine semblât se remettre très vite. Elle réajusta son superbe châle en velours bleu cobalt et avança fièrement à travers les rues sales en direction de la boutique de Rose Bertin.

Elles arrivèrent rapidement rue Saint-Honoré. Impossible de rater la boutique, que Marie-Antoinette lui avait dit s'appeler « Le Grand Mogol » : plusieurs grandes vitrines présentaient les superbes robes, bijoux et châles en dentelle qui avaient de toute évidence rendu la marque Rose Bertin célèbre. Le contraste de cette boutique haut de gamme avec l'extrême pauvreté qu'elle venait de voir à quelques rues de là stupéfia Louise. Un portier en uniforme les fit entrer avec célérité et leur prit leurs capes dans un déploiement d'obséquiosité.

Marie-Antoinette lâcha un petit soupir, immédiatement réconfortée par les robes luxueuses et l'atmosphère familière du lieu, Louise en était sûre. L'odeur omniprésente de poisson, des ordures fut remplacée sur-le-champ par les douces senteurs du talc mêlées à un parfum floral. Une odeur très semblable à celle de Versailles, en fait.

RUE
SAINT-HONORÉ

— Ma chère dauphine, c'est tellement adorable à vous d'avoir fait le voyage à Paris pour visiter mon humble atelier ! s'écria Rose avec une légère révérence déférente. Et c'est merveilleux de vous revoir également, duchesse de Polignac. J'espère que le voyage n'a pas été trop éprouvant.

Louise examina le décor sophistiqué. *Un humble atelier ?* La boutique lui faisait penser à Versailles. Un haut plafond voûté, des chaises et des causeuses tapissées de soie rose et or sous des tableaux de paysages richement encadrés, des tables rondes à dessus de marbre, chargées de grands vases de lis blancs. Un métrage de soie rouge était drapé sur un mannequin au buste généreux, comme si Rose avait été interrompue lors de l'assemblage de sa dernière création. Il n'y avait strictement rien qui fût humble dans ce lieu. Comparée au Paris qu'elle venait de traverser, l'opulence de cette boutique la mit un peu mal à l'aise.

Rose Bertin, la marraine de la haute couture française, se révéla une femme corpulente, au teint rougeaud. On l'aurait plutôt imaginée en travailleuse de ferme que propriétaire de cette boutique raffinée, au milieu de robes d'une féminité absolue. Elle était bien plus âgée et plus ordinaire que ce à quoi s'était attendue Louise. Rose avait plusieurs assistantes, qui toutes firent une petite révérence à l'entrée de Marie-Antoinette et de Gabrielle. Jeunes, jolies, elles portaient un uniforme rose sophistiqué. Comme si elles représentaient la marque Rose Bertin, ce que cette dernière ne pouvait incarner physiquement.

— J'adore Paris ! Il faut absolument s'échapper de Versailles de temps à autre, pour se rapprocher de la ville et de son peuple ! s'exclama Marie-Antoinette en prenant un peigne décoré de saphirs dans un écrin de velours, puis en le plantant dans sa coiffure blond platine.

Pour Louise, fendre en hâte une foule hostile de Parisiens affamés et agressifs pour se précipiter dans une boutique chic n'était pas exactement « se rapprocher de son peuple », mais elle s'abstiendrait de tout commentaire. Et elle ne comprenait pas non plus très bien comment cette jeune dauphine semblait si peu concernée par les souffrances évidentes des Français. Et si Louise pouvait lui expliquer certaines choses ? Et si elle prenait la situation avec le même sérieux que celui qu'elle mettait à choisir une nouvelle robe, alors Louise/Gabrielle pourrait-elle l'aider à changer le cours de l'histoire ?

— Hier nous avons eu la visite de la charmante Mademoiselle de Mirecourt, annonça Rose Bertin tout en sélectionnant des colifichets et des accessoires scintillants qu'elle voulait montrer à la dauphine.

— Ah oui ? Et qu'a-t-elle acheté ? s'enquit la dauphine, levant un sourcil avec curiosité.

— Je lui ai fait une robe turquoise, de forme lévite, vous savez, cette coupe un peu plus simple que les robes de cour, expliqua Rose Bertin tout en présentant une robe vaporeuse bleu-vert. La même que celle que vous avez commandée le mois dernier.

— Très bien, dit Marie-Antoinette, apparemment soulagée d'apprendre qu'elle avait eu la primeur du modèle.

— Jetez un œil à ce merveilleux tissu en chenille. Vous êtes la première à le voir, bien sûr. Je pense qu'avec votre teint d'albâtre cela sera tout simplement parfait sur vous, roucoula Rose d'un ton assuré tandis qu'une assistante sortait de sous le long comptoir en acajou un rouleau de fin tissu jaune soyeux, de la couleur des boutons-d'or du jardin de Marie-Antoinette.

— C'est divin ! Avez-vous du galon assorti ? s'enquit la dauphine en applaudissant d'excitation.

— Bien sûr.

Une autre élégante assistante grimpa sur un tabouret pour attraper un rouleau de galon jaune assorti posé sur l'étagère du haut.

— J'en voudrais une tout de suite. Et toi, Gabrielle ? lui demanda Marie-Antoinette.

— Oui, avec plaisir, répondit Louise.

Elle n'était pas du genre à refuser une robe haute couture gratuite.

— Peut-être préférerez-vous la couleur puce ? intervint rapidement Rose Bertin, tout en faisant signe à une nouvelle assistante de descendre un rouleau de tissu d'un rose brun sourd.

— Mais j'aime celui-ci, objecta Louise qui admirait la soie jaune.

L'autre tissu était... bof.

— Ma chère, le puce vous irait mieux, si je ne m'abuse, insista Rose un peu sèchement. J'ai toujours raison pour ces choses-là, vous devez me faire confiance, ajouta-t-elle en lançant à Louise un regard scrutateur.

Le jaune n'était-il donc pas réellement la couleur de Gabrielle ? Louise remarqua que les assistantes se regardaient discrètement, l'air anxieuses. Oh ! C'était donc ça ! Elle n'était pas censée porter la même couleur que la dauphine. Le protocole de la Cour, certainement.

— Vous avez sans doute raison. L'autre aussi est superbe, acquiesça Louise sans trop attendre, palpant le coupon soyeux couleur puce.

— J'espérais que tu choisirais celui-ci. J'ai toujours adoré te voir en couleur puce, conclut Marie-Antoinette avec un sourire.

CHAPITRE 25

— Pourquoi achètes-tu autant ? ne put s'empêcher de demander Louise alors qu'elles entamaient leur long retour cahoteux vers Versailles.

L'habitacle était complètement encombré de leurs paquets joliment enveloppés. Les deux jeunes filles étaient coincées entre les boîtes contenant de nouvelles robes, des chaussures ou du tissu. Marie-Antoinette avait tant d'emplettes que le cocher avait dû arrimer des malles sur le toit du carrosse. *Pourvu que la voiture déjà brinquebalante ne verse pas durant le trajet !* espéra Louise.

Il n'y avait pas eu d'argent versé lors de la transaction. La dauphine s'était contentée de signer dans un gros registre relié en cuir où Rose Bertin tenait ses comptes. *Qui payait, exactement ?* s'était demandé Louise. *Et quel était le montant de cette extravagante séance de shopping ?* La jeune dauphine lui faisait penser à une lycéenne avec accès illimité à la carte platine American Express de ses parents.

Elle se souvint du cours de Miss Morris sur le système injuste des impôts en France à l'époque, où les plus pauvres se retrouvaient à payer pour le train de vie excessif de la monarchie. Des gens comme la famille de Pierre. C'était si injuste qu'elle commençait à regretter d'avoir commandé la robe puce.

Marie-Antoinette leva un sourcil, comme si personne ne lui avait jamais posé cette question.

— Mais… parce que je le peux, répondit-elle en gloussant, tout en dessinant du bout du doigt un cœur enfantin sur la vitre embuée du carrosse. Je suis tout simplement terrifiée à l'idée de m'ennuyer.

— Pourtant tu pourrais aussi faire d'autres choses. Peindre, lire ou danser ?

Il fallait vraiment que Louise trouve une autre passion à cette fille avant qu'elle ne mène tout le pays à la faillite !

— Choisir mes vêtements, c'est la seule décision personnelle que j'ai le droit de prendre, vois-tu, expliqua Marie-Antoinette. Je ne peux pas choisir qui j'épouserai, l'endroit où je vivrai ou ce que je dois faire. Mais je suis libre de décider de ce que je porte, comment je me coiffe et quels bijoux j'ai envie d'avoir autour du cou. Voilà mes seules véritables libertés : choisir la couleur et le tissu de ma robe. Est-ce stupide ? demanda-t-elle en essuyant la vitre du plat de la main.

— Non, je ne crois pas, répondit Louise.

Toute la vie de Marie-Antoinette était tracée sans son consentement, semblait-il, à part peut-être ce trajet en carrosse. Louise n'avait certainement pas autant d'argent que cette fille, mais au moins elle disposait de plus de liberté.

— Regarde toutes ces femmes de la Cour qui veulent me copier. J'ai commencé une révolution dans la mode. C'est le pouvoir, tu ne crois pas ?

Louise examina sa propre robe en satin couleur tilleul pâle, sans doute une réplique moins somptueuse de quelque chose porté par Marie-Antoinette la semaine ou le mois précédent. Louise était d'accord dans un sens, c'était le pouvoir, dans les mains d'une jeune femme qui, par ailleurs, était sous la coupe d'une mère exigeante, d'un mari pataud et de son père, le roi de France. C'était pareil que d'être la « it girl » du collège, comme Brooke quand elle y allait avec un top rayé Ella Moss et que la semaine suivante toutes les filles arboraient une version similaire du modèle. Marie-Antoinette était ainsi à Versailles.

Elle avait commencé une révolution dans la mode, mais Louise savait que si elle ne maîtrisait pas ses dépenses et faisait étalage de sa richesse, Marie-Antoinette serait à l'origine d'une autre sorte de révolution. Bien plus violente et sanglante, qui ne signifierait pas seulement la fin de la monarchie, mais aussi la fin de la vie de la dauphine, de ses amis et de leurs familles. Et peut-être même celle de Gabrielle. Alors que Louise contemplait par la vitre le paysage gris qui défilait, l'excitation de son premier shopping parisien laissa peu à peu la place à une anxiété croissante. Elle décida de récupérer sa robe de Fashionista qu'elle avait cachée dans l'armoire, au cas où. Pas question d'être coincée dans un passé violent sans porte de sortie.

CHAPITRE 26

— Que pensez-vous de celui-ci ?

Après l'interminable trajet du retour, les chevaux ayant avancé à la vitesse d'un piéton d'après Louise, à cause du poids du shopping ajouté au carrosse, les filles se retrouvèrent au Petit Trianon. Elles se divertirent à essayer leurs nouvelles fabuleuses acquisitions. Ou plutôt, Marie-Antoinette faisait le mannequin avec un chapeau en plumes d'autruches violet devant Adélaïde, qui les avait attendues avec impatience. Pendant ce temps, Louise essayait discrètement de remettre la main sur sa robe vert d'eau de la vente des Fashionistas en fouillant dans l'armoire.

Adélaïde semblait très curieuse de voir ce qu'elles avaient acheté, comme si elle allait en faire l'inventaire.

— Ooh, vous avez aussi pris cette robe ? demanda-t-elle en laissant courir ses doigts sur les entrelacs de dentelle, palpant la texture avec soin ; on aurait dit une espionne ou une étudiante dans une école de stylisme ! Ces boutons en nacre sont à tomber ! soupira-t-elle en examinant une paire de longs gants de soirée couleur ivoire.

Son attention au détail était très similaire à la sienne, songea Louise.

— J'aurais voulu être avertie que vous alliez à Paris, ajouta Adélaïde d'un ton grognon.

Mais Louise était quelque peu distraite, car sa cachette infaillible pour la robe magique semblait... vraiment infaillible.

— Madame, savez-vous où est cette robe ? Celle que je portais hier ? demanda-t-elle à Adélaïde en fouillant parmi des crinolines. J'aurais juré l'avoir laissée dans cette armoire.

— Oh, j'étais tellement lasse de cette robe, intervint Marie-Antoinette avec un bâillement. Tu l'as portée au moins deux fois en ma présence ! J'aimerais que tu montres un peu plus de considération, Gabrielle. Je suis très sensible à ces choses.

— D'accord, je suis désolée, mais sais-tu où elle est ? insista Louise.

Elle cessa de se forcer à faire bonne figure et se mit à fouiller comme une folle dans les robes roses, vertes et blanches entassées au bas de l'armoire. Il semblait y avoir toutes les couleurs, sauf celle qu'elle cherchait !

— Enfin, chère Gabrielle, ne t'ai-je pas acheté une belle robe ce matin ? Nul besoin d'être sentimentale. Je demanderai à Rose Bertin de te faire une autre jolie robe puce, si tu veux. Moins formelle, plus adaptée à nos parties de campagne ici.

— Excuse-moi, mais avec tout le respect que je te dois…

Louise tenta de se reprendre. La dauphine pouvait sûrement la faire emprisonner ou pire, pour lui avoir tenu tête !

— … il faut que je récupère ma robe. Elle est spéciale. Elle a une valeur sentimentale.

Adélaïde leva un sourcil, peut-être surprise que Louise ose répondre à Marie-Antoinette. Ou… peut-être parce qu'elle l'avait prise elle-même.

— Une minute, est-ce vous qui l'avez ? demanda Louise à Adélaïde.

Cette dernière semblait particulièrement intéressée par ses vêtements, puisqu'elle l'avait surprise en train de fouiller dans sa chambre la veille.

— Mais, pourquoi l'aurais-je donc prise ? bredouilla Adélaïde en rougissant avant de se détourner.

Louise ne put s'empêcher de lui trouver l'air coupable ! Cependant, pour quelle raison voudrait-elle ses vieilles robes ? N'avait-elle pas les siennes ? Était-elle jalouse de Gabrielle ? En plus, elles n'avaient même pas la même taille !

— Ma chère duchesse de Polignac, il est impossible de retrouver une robe ainsi. Elle a disparu, point. Les servantes l'ont probablement donnée. Il y a des milliers de gens qui vivent à Versailles. Comment saurais-je qui l'a prise ? s'exclama Marie-Antoinette, qui commençait visiblement à perdre patience.

Louise savait que c'était mauvais signe lorsque sa mère l'appelait par son nom en entier. Elle sentit qu'elle aurait également des ennuis ici si elle insistait trop.

— J'ai horreur du puce, marmonna-t-elle dans sa barbe pour elle-même, on dirait du vomi.

Louise n'arrivait pas à penser, bouleversée que Marie-Antoinette ne l'aide pas à retrouver une robe parce qu'elle l'avait portée... deux fois ! Oh non ! Elle allait rester coincée au XVIIIe siècle parce que la dauphine était contrariée ? Il fallait récupérer cette robe sans plus attendre.

CHAPITRE 27

Adélaïde s'excusa en hâte et sortit de la maison de jeu après avoir marmotté à propos d'un certain rendez-vous au palais pour lequel elle était en retard. Ou, comme le soupçonnait Louise, pour cacher la robe volée ? Apparemment, Marie-Antoinette ne voulait pas rester seule, aussi en dépit de sa contrariété demanda-t-elle à Louise de jouer avec elle en compagnie de la troupe des inévitables petits chiens. Louise réalisait maintenant que lorsque la dauphine demandait quelque chose d'une voix sucrée, ce n'était pas exactement une prière. C'était un ordre. Elle avait l'habitude d'obtenir tout ce qu'elle voulait.

La dauphine virevolta dans la pièce avec sa nouvelle robe jaune. Elle brassait l'air avec un éventail en soie assorti, oubliant totalement le problème de Louise. Tout comme le fait que la plus grande partie de la France commencerait bientôt une vaste révolte alors qu'elle se réfugierait dans sa maison de jeu pour essayer encore de nouvelles robes.

— Prends des fraises, gloussa-t-elle en mordant dans le fruit juteux mûri à la perfection qu'elle choisit dans un compotier rempli d'autres fruits parfaits, qui avaient l'air factices tellement ils étaient superbes. Tu es tellement plus amusante, d'habitude. Qu'est-ce qui te prend depuis quelque temps, Gabrielle ? Tous ces soucis vont te gâter le teint.

— Non, merci, déclina Louise en refermant tristement la lourde porte de l'armoire en noyer. J'ai du mal à m'amuser quand tant de gens souffrent.

Et quand nous perdrons littéralement nos têtes, songea-t-elle tristement.

— Mais tu ne vois donc pas que c'est toujours ainsi ? Je parie que si tu étais née dans des centaines d'années, il y aurait toujours des gens qui souffriraient, et toujours des fêtes. Moi, je me dis que je préfère être invitée à la fête, déclara Marie-Antoinette en caressant son petit chien qui jouait avec un morceau de ruban échappé d'un des sacs du shopping.

Louise eut tout à coup l'impression d'être une grosse hypocrite. La dauphine n'avait pas tort. Il régnait toujours la pauvreté et la souffrance dans le monde contemporain, même si Louise n'y était pas directement confrontée chez elle. Et puis… pourquoi voulait-elle tant retrouver cette robe ? C'était pour la soirée costumée de Brooke. Et elle devait bien admettre qu'elle ne pensait qu'à ça ! Si jamais elle réussissait à revenir à temps...

Louise se promit d'être moins égoïste et plus à l'écoute des autres si elle revenait. Son père avait perdu son travail et elle devait renoncer à son voyage scolaire, mais sa famille n'avait jamais eu à se soucier de ce qu'elle mettrait sur la table au prochain repas. (Même si ce prochain repas était l'invariable mixture boueuse de sa mère.) Il y avait des filles de son âge qui n'avaient ni maison, ni la perspective d'un repas chaud qui les attendrait. Elle avait vu ce genre de situation aux infos, et se rendit compte qu'en fait elle vivait elle-même sa propre version de Versailles. Comme la plupart des gens, d'ailleurs.

— C'est trop horrible de penser à tout cela ! s'exclama Marie-Antoinette en essuyant du jus de fraise sur son menton du revers de sa main délicate.

— Mais il le faut ! se récria Louise, qui devait à tout prix convaincre sa nouvelle amie. Tu as le pouvoir de changer les choses. Un jour tu seras reine de France.

— Goûtons donc ces macarons. Celui à la pistache n'est-il pas tout bonnement divin ? la coupa la dauphine en se saisissant d'un ravissant gâteau vert pâle avant d'en grignoter un petit bord.

Il y avait toujours quelque chose de délicieux à portée de main.

— Tu ne peux pas vivre dans une bulle en permanence, crois-moi, lui assura Louise en posant sa main sur son bras. Ces gens avaient l'air affamé.

— Ma chère Gabrielle, comment saurais-tu ce que je peux faire et ne pas faire ? lança Marie-Antoinette en éclatant d'un rire insouciant.

Elle jeta son gâteau à peine entamé sur la table recouverte d'une nappe blanche.

— Qu'on leur donne des brioches, marmonna-t-elle.

— Pardon ? s'offusqua Louise. Que veux-tu dire ?

Si le peuple n'avait même pas de pain, comment diable pouvait-il obtenir des brioches ?

— Rien, ma chère, je ne voulais rien dire de spécial répliqua Marie-Antoinette en haussant les épaules, comme si tout cela n'avait été qu'un produit de l'imagination fertile de sa compagne.

Sur ces paroles, elle prit son chien dans ses bras et sortit par la porte-fenêtre pour aller batifoler dans le jardin comme si elle n'avait aucun souci.

CHAPITRE 28

Louise se précipita hors de la maison, franchit les grilles du Petit Trianon et s'engagea dans les jardins à la française qui conduisaient au château. Un nuage sombre dissimula le soleil de la fin de l'après-midi, et le décor devint soudain sinistre et angoissant. *Les choses changeaient*, songea Louise, *et pas seulement les conditions météo...* Elle avait envie de retrouver Pierre. C'était le seul qui la croirait et l'aiderait à rentrer chez elle. Comment ? Elle ne savait pas trop, mais déjà il l'aiderait à retrouver sa robe bleu-vert.

— Excusez-moi, avez-vous vu Pierre ? demanda-t-elle à un tâcheron tout ridé qui répandait du fumier sur une plate-bande.

— Je ne connais aucun Pierre, rétorqua-t-il sans même lever les yeux.

Elle posa la question à une autre femme qui cueillait des roses qu'elle rassemblait dans son tablier.

— Pierre ? Il me semble qu'il n'y a aucun Pierre qui travaille dans ces jardins.

Avait-elle imaginé ce garçon ? Était-il un espion, ou avait-il été renvoyé parce qu'on les avait surpris ensemble ? Elle n'y comprenait rien, et en plus il commençait à pleuvoir…

— Pierre ne travaille plus à Versailles, annonça une voix grave de baryton derrière elle.

Louise fit volte-face et se retrouva devant le jardinier en chef, certainement. Un visage criblé de cicatrices d'acné, l'air sournois et les bras croisés sur la poitrine dans une attitude agressive.

— Il a été renvoyé ce matin. Pour avoir distribué de la propagande contre la dauphine. Puis-je faire quelque chose pour vous ?

— Non, merci, déclina Louise en bredouillant, les larmes aux yeux d'apprendre le renvoi brutal de Pierre.

Elle réalisa soudain que la seule personne qui aurait éventuellement pu la croire était partie. Elle baissa la tête avant que le jardinier ne la voie pleurer et s'enfuit en courant vers le château.

Dans sa hâte, elle se trompa de chemin et se retrouva dans un labyrinthe compliqué de hauts buissons. Elle se sentit vraiment comme un rat très chic pris au piège. En s'enfonçant toujours plus loin dans la verdure, elle sentit la panique l'étreindre à la gorge, et des pulsations douloureuses se déclenchèrent dans sa tempe comme au début d'une migraine. Et si elle ne réussissait jamais à rentrer chez elle ? Elle avait tellement voulu s'échapper de sa vie… mais dans sa situation actuelle, Fairview dans le Connecticut n'avait plus rien d'épouvantable.

Louise s'arrêta et essaya de se calmer. Mais son corset l'empêchait de reprendre sa respiration. Elle commença à se sentir mal et s'adossa à une haie. Les nuages menaçants continuaient à s'accumuler et elle entendit le tonnerre au loin. Une tempête approchait, pas de doute.

Elle repéra deux silhouettes avec des chapeaux à plumes à larges bords devant elle. Peut-être pourraient-ils l'aider à s'extraire de ce labyrinthe interminable ? Elle poursuivit sa progression, mais ils étaient trop loin et se retrouvèrent hors d'atteinte, sans l'avoir aperçue.

— Je vous en prie, arrêtez-vous ! Vous pouvez peut-être m'aider ! hurla-t-elle, mais les nuées d'orage au-dessus d'elle désormais couvrirent ses appels.

Les silhouettes ne se retournèrent pas. Elle se mit à leur poursuite en trébuchant à cause de ses jupes encombrantes, tourna au coin d'une haie imposante et se retrouva devant le grand parterre de Versailles. Totalement seule et trempée sous le ciel gris sombre.

CHAPITRE 29

Louise rassembla ses jupes et gravit les marches de la terrasse du château. Elle se rendit compte au dernier moment qu'elle était arrivée juste devant un immense hall tout en miroirs : la galerie des Glaces !

Les dimensions du lieu étaient stupéfiantes. La pièce était illuminée par trois rangées de lustres en argent. La lueur de leurs bougies se démultipliait sur les glaces et les vitres des fenêtres. Louise compta dix-sept panneaux de miroirs face à dix-sept fenêtres donnant sur les jardins. Des statues de chérubins en bronze tenaient des candélabres en cristal, comme autant d'offrandes lumineuses. Des colonnes de marbre bordeaux et blanc soutenaient le plafond décoré de peintures à l'huile aux dominantes rouge et bleue représentant des scènes de bataille, renforçant l'idée que la personne vivant dans ce palais était puissante et très riche.

Pour quelqu'un dans la situation de Louise, la galerie des Glaces était un piège : un lieu où il lui serait pratiquement impossible de dissimuler qui elle était en réalité. Après que l'horrible Dr Hastings avait pu découvrir sa véritable identité dans un miroir du *Titanic*, et comme elle l'avait constaté elle-même dans un miroir au Petit Trianon, elle risquait vraiment d'être démasquée. Or malheureusement pour elle, la galerie des Glaces était l'axe principal de la circulation dans Versailles. Elle serait obligée de faire un immense détour par les jardins pour l'éviter, et il pleuvait à verse maintenant. Comment réagiraient ses cheveux à une pluie du XVIIIe siècle en France, elle l'ignorait, mais en ce qui concernait son cauchemar de frisottis infernaux du XXIe siècle, elle avait déjà donné…

Elle décida de prendre le risque. Par miracle, à cette heure-ci la galerie était déserte. Si elle la traversait à toute vitesse, tête baissée, en priant que personne ne remarque les millions de Louise Lambert reflétées dans les immenses miroirs… Elle s'engagea avec circonspection dans la vaste salle, bouche bée de se voir telle qu'elle était en réalité. Elle s'accorda quand même un moment pour virevolter dans sa robe tilleul avec crinoline. Souriant à son reflet tourbillonnant, elle aperçut l'éclat de ses bagues argentées se reflétant à l'infini. Louise referma vite la bouche, baissa la tête et se hâta sur le parquet fraîchement ciré.

Elle était à peine au milieu de sa traversée qu'elle repéra la princesse de Lamballe du coin de l'œil, accompagnée d'Adélaïde. Elles n'avaient pas pu la voir, c'était impossible ! Elle ralentit et baissa la tête quand elles se croisèrent, dans l'espoir insensé qu'elles ne la reconnaîtraient pas.

— Bonjour, ma chère Gabrielle ! lança la princesse de Lamballe d'une voix mélodieuse.

Louise fit une légère révérence et ne put s'empêcher de relever la tête. La princesse de Lamballe poursuivit son chemin, s'amusant à pourchasser un petit chien à grandes oreilles. Mais Adélaïde, la « suspecte-numéro-un-voleuse-de-robe », s'était arrêtée net et la scrutait bouche bée. Louise avait été découverte !

Elle essaya d'éviter le miroir, comme on le fait pour ne pas regarder un accident sur l'autoroute alors qu'on sait très bien que ce sera horrible, et qu'on finit quand même par tourner la tête pour voir. Et elle faillit hurler.

Ce n'était pas le visage d'Adélaïde.

Mais le reflet d'une autre fille d'une douzaine d'années, la bouche pleine de bagues avec des élastiques roses, contemplant Louise avec les yeux écarquillés.

Oh mon Dieu !

Louise aussi se décrocha la mâchoire.

Après le choc initial, la fille se détourna vite et s'enfuit de la galerie des Glaces, aussi vite que le lui permettaient ses mules à hauts talons.

Louise se débarrassa vite des siennes et partit à sa poursuite, sans se soucier de savoir si elle causait un scandale.

Il fallait absolument qu'elle rattrape cette fille et comprenne ce qui se passait !

— Gabrielle ? Adélaïde ? appela la princesse de Lamballe de sa voix douce et amicale. Que vous arrive-t-il donc à toutes les deux ?

Louise ne ralentit pas pour lui répondre. Si ce qu'elle venait de voir n'était pas le résultat d'une hallucination causée par l'ingurgitation d'un excès de macarons super sucrés, elle venait de croiser une autre Fashionista Voyageuse. Au XVIIIe siècle. Comment était-ce possible ?

CHAPITRE 30

La femme l'attendait à la sortie de la Grande Galerie. Elle s'était cachée derrière une porte et se montra quand Louise arriva à son niveau.

— Vite… qui est ton créateur préféré ? demanda-t-elle en oubliant de chuchoter.

— En ce moment, c'est Yves Saint Laurent, répondit Louise du tac au tac sans même avoir réfléchi. Oups… je voulais dire…

Elle se tut aussitôt. Pourquoi cette fille lui posait-elle cette question ? Silence de mort.

— C'est pas possiiiiiiiible ! Tu fais partie du club !

Louise scruta la femme. Selon toutes les apparences, elle discutait avec Adélaïde. Mais ce n'étaient que des apparences.

— Qu'est-ce que tu viens de dire ? s'exclama Louise, stupéfaite.

— Tu es une Fashionista Voyageuse. Je savais qu'il y avait quelque chose de différent chez toi. Mais j'ai du mal à croire que Marla et Glenda nous aient laissées nous croiser dans le temps. C'est contraire aux règles.

Marla et Glenda ? Cette fille les connaissait ?

— Comment les connais-tu ? bredouilla-t-elle, stupéfiée.

— Parce que je suis aussi une Fashionista Voyageuse ! s'écria la fille, comme si c'était une évidence absolue. Mais je n'arrive pas à croire que ce genre de choses est autorisé, continua-t-elle en levant les bras au ciel d'incrédulité.

— Euh… c'est-à-dire qu'elles ne m'ont pas exactement laissée partir, bégaya Louise, en réalisant soudain qu'elle serait en mauvaise posture quand elle reverrait les deux vendeuses qui ne se doutaient de rien.

Et qui prenaient la mouche pour un rien.

— Techniquement, j'ai essayé la robe à un moment où elles ne regardaient pas, avoua-t-elle.

Adélaïde la fusilla du regard.

— C'est bien ce que je viens de dire : c'est contraire aux règles.

— Quelles règles ?

Tourneboulée par cette conversation, Louise se moquait bien de se donner en spectacle car des millions de questions lui brûlaient la langue.

— Chut ! intima la fille d'un ton sans appel. Personne ne doit nous entendre, et nous devons êtres les seules à être au courant. Mais bon, c'est vrai que débarrasser la table du goûter, flirter avec le jardinier et me confondre avec la princesse de Lamballe, je dirais que c'était plutôt pas très discret.

— Et comment dois-je me comporter ? Je ne sais même pas qui je suis ! se défendit Louise. Cette fille est-elle Marie-Antoinette-la-vraie-de-vraie ? Et toi, qui es-tu ?

— Bien sûr que c'est Marie-Antoinette ! Et moi, je m'appelle Stella. Mais tu dois m'appeler Adélaïde.

— Quel âge as-tu vraiment ?

— Treize ans. Je suis de Manhattan. Et toi ?

— Douze ans. J'habite à Fairview, dans le Connecticut. Mais mon père travaillait à Manhattan, répondit Louise, pressée d'en finir avec les présentations pour se concentrer sur les choses essentielles... du genre, revenir au XXIᵉ siècle.

— Mais si on compte en années de vie en banlieue, j'aurais plutôt seize ans, continua Stella.

— Je ne savais pas qu'il y avait une différence.

Quoi ? Est-ce que les années de vie en banlieue se comptaient comme on le fait pour estimer l'âge des chiens ? s'interrogea Louise, perplexe.

— Pourtant il y en a une, et pas qu'un peu, insista Stella en haussant un sourcil.

Cette fille aimait peut-être le vintage, d'accord, mais elle n'était pas très cool.

— Comment es-tu devenue une Fashionista Voyageuse ? reprit Louise.

Avait-elle aussi reçu une invitation mystérieuse à la vente ?

— J'ai la mode dans le sang ! s'exclama Stella avec fierté. Mon arrière-grand-tante au deuxième degré était Coco Chanel.

— Pas possible ! couina Louise.

Elle avait beau vouloir feindre l'indifférence, elle était en fait super impressionnée. Cette fille était apparentée au deuxième degré à l'aristocratie de la mode ! Coco Chanel avait été la créatrice la plus influente du XXe siècle.

— Le pouvoir incroyable du vintage, le fait que l'énergie ne peut être détruite, qu'en portant du vintage nous portons le passé et les histoires d'autres femmes en nous et les faisons revivre au présent, même au futur, moi, je le possède, déclama Stella d'un ton qui impliquait qu'en dépit des évidences, Louise ne l'avait pas. Ce n'est donc pas dans ta famille ?

— Je ne crois pas, fit Louise en secouant la tête avec un signe de dénégation.

Elle repensait à l'horreur de sa mère pour tout ce qui était « d'occasion ». Et son père... il ne devait même pas connaître la signification du mot « vintage ». Enfin, il y avait quand même eu sa grand-tante Alice Baxter, l'actrice glamour, qu'elle avait découverte à bord du *Titanic*, et qui adorait les belles robes. Peut-être était-ce quand même finalement dans son sang ?

— Enfin, je ne suis pas trop sûre, continua Louise. Combien sommes-nous ?

— Peut-être cinq ? Ou dix ? répondit Stella, un peu hésitante.

Louise avait beaucoup de mal à concilier le visage d'Adélaïde avec celui de la fille qu'elle venait de voir dans le miroir.

— En fait, je l'ignore, avoua Stella. Tu es la première que je rencontre. Je croyais être la seule.

— Moi aussi, dit Louise. Est-ce que tout ça se passe réellement ? se demanda-t-elle en se pinçant le bras très fort.

— Je ne sais pas, mais ça a l'air réel, non ?

— Oh oui ! Alors peut-être que ça n'a pas d'importance.

— Et ces vêtements, ne sont-ils pas à se damner ? lui murmura Stella en montrant une femme qui passait devant elles, vêtue d'une robe en soie sophistiquée rose saumon, brodée d'un motif bleu et vert de feuilles de vigne.

Elle portait un chapeau plat sur sa coiffure, décoré d'un bouquet de fleurs bleues et vertes.

— Ça me tue, de voir qu'on ne fait plus ça aujourd'hui. Le détail mis dans chaque bouton, chaque couture. On en voit encore l'influence partout des centaines d'années plus tard. John Galliano a créé toute une collection en référence à cette période de l'histoire.

En cet instant, Louise eut un aperçu de l'accro de la mode de treize ans sous l'apparence prétentieuse de son personnage.

— Mais ces corsets sont une torture, murmura Louise en posant ses mains sur ses hanches. J'ai failli m'évanouir au moins trois fois jusqu'à maintenant.

— Vraiment ? ricana Stella avec spontanéité.

Elle ressembla beaucoup à Brooke en cet instant.

Du coup, son côté icône de mode réfrigérante se lézarda un peu, et Louise eut un nouvel aperçu de la véritable ado qu'elle devait être. Peut-être pourraient-elles être amies, finalement ?

— Accompagne-moi donc, enjoignit Stella en passant son bras sous celui de Louise. Alors, dis-moi, de quoi ai-je l'air ? demanda-t-elle à Louise, très excitée. Je ne peux pas me voir. À chaque fois que je me regarde dans un miroir, c'est moi que je vois. J'ai découvert qu'Adélaïde est la fille du roi de France Louis XV, le père de Louis !

— Hummm… s'étrangla Louise.

Comment allait-elle révéler à sa nouvelle camarade qu'elle ressemblait à une femme mûre bien en chair, qui avait l'air de bouder en permanence ?

— Je trouve qu'Adélaïde est un prénom tellement fabuleux ! Je vais peut-être l'adopter définitivement !

— Tu veux savoir honnêtement ?

— Bien sûr !

— Eh bien, commença Louise, en essayant d'être aussi diplomate que possible, tu es… comment dirais-je… plus toute jeune…

— Vieille ? Je suis vieille ? s'écria Stella en s'arrêtant brutalement, scrutant désormais Louise avec toute son attention.

— C'est une autre façon de le formuler.

— J'ai des rides ?

— Je ne sais pas trop, fit Louise en haussant les épaules.

— Tu ne sais pas trop ? Tu me regardes, ou quoi ?

— Je dirais que tu es plutôt, disons… pas très attirante. Mais c'est OK, Stella, je suis sûre que dans la vraie vie tu es très jolie !

— Je suis vieille et moche ? Argh ! Pourquoi Marla et Glenda m'ont-elles fait ça ? C'est une mauvaise blague ?

— Et, euh… ajouta Louise en reniflant vers elle, tu sens mauvais.

— Quoi ? hurla Stella en enfonçant ses ongles dans la chair du bras de Louise. C'est trop gênant !

— Ce n'est pas vraiment toi, essaya de la rassurer Louise. Et puis, d'après ce que j'ai constaté, tout le monde sent plutôt pas très bon, dans cette époque.

— Mais tu es jeune et belle ! C'est pas juste !

— Ce n'est pas moi, protesta Louise en passant sa main le long de la couture de sa jupe en soie. Ce sont Gabrielle, et la robe.

— Mais quand même ! Regarde, ma robe est plus belle, se récria Stella en déployant la jupe de sa robe couleur menthe à l'eau. Et tout le monde me montre tellement de respect !

— C'est exact. Vois le bon côté des choses. Tu as un rang supérieur au mien. Apparemment tu es la fille du roi. J'imagine qu'on ne doit pas juger une femme par sa robe.

— Que veux-tu dire par là ?

— Que Marla et Glenda essayent peut-être de nous apprendre quelque chose. Moi, j'ai besoin d'avoir plus de confiance en moi, et toi, tu dois réaliser que le look ne veut pas tout dire.

— Eh bien, moi, je veux retrouver ma vraie vie d'avant. Je fiche le camp d'ici. Et je hais le prénom Adélaïde ! explosa Stella, en faisant les cent pas avec fureur.

— Ne me laisse pas ! cria Louise en se cramponnant à la main gantée d'Adélaïde. Je crois qu'on a volé ma robe. J'ai besoin de ton aide.

— Je te dirai tout ce que tu as besoin de savoir ce soir, mais il faut que je rentre, murmura-t-elle tout bas au moment où la princesse de Lamballe les rejoignit et les considéra d'un air étonné.

— Y a-t-il un problème ? demanda-t-elle, perplexe.

— Bien sûr que non. Tout va très bien. À ce soir, Gabrielle, dit Stella.

Puis elle redevint Adélaïde, fit une légère révérence à Louise et quitta la pièce avec la princesse comme si c'était un simple après-midi parmi tant d'autres à Versailles.

CHAPITRE 31

Louise retourna dans les appartements de Gabrielle et s'adossa à sa porte richement décorée en soupirant. Il lui fallait une minute pour digérer tout ce qu'elle venait d'apprendre. Jusqu'à ce qu'elle réalise qu'elle n'était pas seule.

— Comment êtes-vous arrivées ici ? s'exclama-t-elle.

Glenda était installée sur le lit à baldaquin, drapée dans une capote d'un violet profond doublée de soie rouge sang. Elle chatouillait un chat gris tout dodu avec une longue plume de paon verte et bleue. Marla s'était comprimée dans une robe noir corbeau corsetée dont l'ourlet frôlait le sol, rehaussée de boutons rubis scintillants sur le corsage, qui semblaient sur le point d'exploser au moindre mouvement un peu brusque. Elle piochait avec gloutonnerie des grains de raisin brillants disposés dans un plat en argent sur une petite table dorée à la feuille d'or.

— Est-ce là une façon d'accueillir les gens ? s'indigna Glenda, l'œil flamboyant en direction de Louise.

— Vous n'êtes pas donc pas contente de nous voir ? s'enquit Marla, attristée. C'était tout un périple, vous savez, ajouta-t-elle en tripotant le pendentif à l'effigie de caniche qu'elle semblait porter en permanence.

— Croyez-moi, je suis trop contente de vous voir ! bégaya Louise. Je vous en prie, comment puis-je faire comprendre à la dauphine le sérieux de la situation à l'extérieur du château ? Peut-être pourrions-nous aider à empêcher la Révolution si nous lui faisions prendre conscience de la pauvreté et de la souffrance qui s'étalent juste sous ses yeux !

— Parfois, le plus difficile est de voir ce qu'on a juste sous le nez, répliqua Marla mystérieusement.

— Alors, comment puis-je lui montrer ? insista Louise d'une voix tremblotante. Si nous ne faisons pas quelque chose, le peuple français va mourir de faim et toute la famille royale sera exécutée !

— Se mêler de changer le cours de l'histoire ! s'exclama Glenda alors que le chat qu'elle titillait se mit à miauler de protestation. Voilà une occupation plutôt dangereuse !

— Essayez de ne pas être aussi morbide, ma chère. Ooh ! Votre robe est fabuleuse. Glenda, il faudra refaire notre inventaire… dit Marla en changeant de sujet, palpant le satin vert sorbet de la robe de Louise. Et comme vous devriez le savoir des expériences passées, ce qui a eu lieu ne peut être changé.

— Pourquoi ne m'avez-vous pas parlé de Stella et des autres Fashionistas ? protesta Louise, mains sur les hanches.

— On veut tout savoir, n'est-ce pas ? Et qu'est-ce qu'il y aurait d'amusant à ça ? interrogea Glenda de sa voix rauque et profonde.

Terrifié, le chat se faufila sous la courtepointe brodée.

— Nous pensions vous avoir fourni assez d'informations dans notre lettre. Bien évidemment, vous devrez découvrir des choses par vous-même. C'est ainsi que l'on grandit, expliqua Marla en gobant un autre grain de raisin. Ah, il n'est plus aussi bon aujourd'hui, se désola-t-elle en essuyant le jus qui avait coulé sur les poils de son menton avec le revers de sa manche.

— Combien y a-t-il de Fashionistas exactement ? Et quand pourrai-je faire leur connaissance ? continua Louise.

Elle se laissa choir sur une chaise. Tout ça commençait à faire un peu trop pour elle. Pourquoi avait-elle toujours l'impression de devoir se débrouiller avec à peine deux pour cent d'informations disponibles sur le sujet qui la concernait ?

— Tout vient à point qui sait attendre. Quoique nous n'aurions pas procédé ainsi, dit Glenda en déployant sa silhouette dans un mouvement intimidant.

Quand elle était debout, elle dominait Marla et Louise comme si elles étaient des gamines qui se seraient amusées à se déguiser en femmes.

— Je suis désolée, s'excusa Louise. J'aurais dû vous demander d'essayer la robe. Seulement, j'ai eu le sentiment qu'elle m'était destinée, que je devais faire ce voyage.

— Eh bien, ma cocotte, c'est très agréable de se sentir un peu spéciale et d'avoir le sentiment d'être l'élue. Nous l'avons d'ailleurs constaté, à la façon dont vous avez laissé tomber la pauvre Brooke. Elle est censée être votre meilleure amie, lui rappela Marla d'un ton radouci.

Louise sentit les larmes lui monter aux yeux quand elle se remémora son comportement.

— Cette fille a remarquablement changé. Une fois que nous aurons réussi à lui faire quitter son immonde jogging en éponge et adopter une tenue plus convenable, nous serons presque prêtes à la nommer membre honoraire, déclara Glenda.

Elle se saisit d'un fabuleux bracelet de Gabrielle en saphir et diamants, rangé dans la boîte à bijoux en ébène sur sa table de toilette.

— Brooke me manque. Je veux retrouver ma vraie vie.

— Vous faites partie désormais d'un petit groupe très sélect. On ne choisit pas n'importe qui, précisa Marla, qui continuait à feindre de ne pas entendre les supplications de Louise.

— Nous organiserons peut-être une grande fête pour toutes nos Fashionistas, à votre retour. Vous pourrez papoter entre vous. N'avez-vous pas toujours eu envie de faire partie d'un groupe de filles qui connaissent la différence entre une création Versace et une de Givenchy ? Qui peuvent vous prêter une robe mini de Pucci pour votre prochaine sortie ? Ce sont les seules au monde qui peuvent vraiment vous comprendre.

En effet, c'était exactement ce que voulait Louise, mais elle se demandait un peu comment Brooke s'intégrerait dans cette équation. Si jamais elle revenait à Fairview, les choses seraient différentes. Elle n'avait pas envie de s'éloigner de sa meilleure amie, mais peut-être était-ce inévitable. Et ça lui faisait de la peine d'y penser.

— Bien sûr, cela implique que vous rentriez d'abord, lui rappela Marla en baissant la voix, comme si elle avait besoin qu'on le lui répète ! Et la France ne me semble pas au bord de la révolution.

— Nous sommes fatiguées, ma chère. Cette fois, vous vous êtes vraiment mise dans de beaux draps, déclara Marla en laissant retomber avec fracas le bracelet sur le dessus de table en verre.

— C'était tout à fait sournois. Nous avons tourné le dos un instant, et… pouf ! s'écria Marla en claquant des doigts.

— Bah… c'est presque une ado, Marla. Ils sont bien connus pour sortir en douce de chez eux, parfois.

— Et Marie-Antoinette n'est sans doute pas la meilleure des influences, renchérit celle-ci, appuyant son propos d'un « tsss » désapprobateur.

— Mais vous êtes pleine de ressources. Si vous avez réussi à venir ici sans notre assistance, nous sommes certaines que vous trouverez le chemin du retour. En comprenant un peu mieux votre situation, espérons-nous, ajouta Glenda d'un ton inquiétant.

— Le passé peut nous apprendre beaucoup, ma chère. Oh là là ! À m'entendre, je commence à ressembler à un vieux gramophone !

Alors qu'elle avalait encore du raisin, le bouton en rubis du haut de son corsage jaillit dans la pièce comme un précieux missile.

— Oups ! s'écria-t-elle, devenant aussitôt aussi cramoisie que le bouton explosif.

— Des problèmes aussi modernes que la perte d'emploi de votre père ne sont-ils peut-être pas aussi modernes que ça, finalement. La crise financière ? Croyez-vous qu'il n'y en avait pas une dans la France prérévolutionnaire ? Aujourd'hui il est impossible de marcher dans les rues de Paris sans que quelqu'un essaye de vous arracher les rubis de votre corsage, déplora Glenda en regardant Marla d'un air entendu.

— J'ai dû prendre un kilo ou deux depuis la dernière fois que j'ai porté cette robe, se justifia cette dernière.

— Bref, j'ajouterais que vos problèmes sont devenus un peu plus sérieux que le simple fait de manquer un voyage en Europe, ajouta Glenda, tout en traçant une ligne sinistre en travers de son cou avec son ongle rouge très long.

Le signe universel pour exprimer un problème majeur, et dans ce cas précis signifiant perdre la tête. Littéralement. Tout cela devenait atrocement réel et terrifiant.

Soudain on frappa avec fermeté à sa porte.

— Pourriez-vous vous cacher quelque part ? implora Louise, paniquée tout en soulevant le dessus-de-lit.

— Déjà gênée de notre visite ? marmonna Glenda. Ah, les gamines, de nos jours…

Alors que Louise tournait les talons pour aller ouvrir, en lissant sa robe et essayant de reprendre contenance, elle sentit un effluve prononcé de parfum français musqué. Elle fit volte-face et vit disparaître ses guides intergalactiques dans un nuage violet odoriférant. Elle secoua la tête, désarçonnée par cette sortie spectaculaire.

Avant qu'elle n'ait eu le temps de tourner la poignée, les deux femmes de chambre personnelles de Gabrielle, mademoiselle « Grande Perche » et mademoiselle « Poitrine Généreuse », firent leur entrée, chargées d'une somptueuse robe de bal rose incarnat ornée d'un galon rose foncé. Pourquoi se donnaient-elles la peine de frapper, c'était un mystère pour Louise.

— Il est temps de se préparer pour le souper, annonça Grande Perche, les mains jointes.

Pour une fois, Louise avait perdu son appétit. Elle n'avait qu'une idée fixe : retrouver Stella et retourner au XXIe siècle avant qu'il ne soit trop tard.

Mademoiselle Poitrine Généreuse esquissa une révérence maladroite et tendit à Louise une feuille de papier ivoire pliée, qu'elle avait sortie de son corsage débordant.

Ma très chère Gabrielle,
Venez me retrouver près des bassins
après le crépuscule. Nous avons beaucoup de choses à nous dire.

Ce n'était pas signé, mais le mot ne pouvait venir que d'une seule personne : Stella. Louise sourit et déposa la feuille sur une table à côté d'elle. C'était exactement le message qu'elle espérait recevoir.

CHAPITRE 32

Le dîner, ce soir-là, se tenait dans une immense salle à manger d'apparat, située dans une aile nouvelle du château. Une longue table occupait le centre de la pièce chargée de décorations. Le crépuscule ne tombait pas assez vite au goût de Louise, trop impatiente de pouvoir enfin vraiment parler à Stella. Sa conversation avec Marla et Glenda avait été atrocement frustrante. Pourquoi ne pouvaient-elles pas dire les choses clairement, au lieu de procéder par bribes d'informations et devinettes concernant son destin ?

Elle tripatouilla le plat gélatineux qui venait de lui être servi par une armée de domestiques. Il devait y avoir au moins un millier de personnes travaillant en permanence à Versailles. Le dîner consistait en petits morceaux de viande et de légumes en suspension dans une gelée ambrée moulée en forme de cloche. *Même sa mère n'aurait pas osé présenter une chose aussi peu appétissante,* songea-t-elle en tâtant la forme tremblotante avec sa cuiller. Après toutes les pâtisseries raffinées qu'elle avait découvertes jusqu'ici, elle était plutôt surprise que le dîner soit aussi répugnant.

Elle était placée à côté de la princesse de Lamballe, la seule personne qu'elle connaissait, en fait. La jeune fille bavardait poliment avec ses voisins tout en grignotant avec délicatesse le plat mystérieux. Marie-Antoinette avait mal à la tête, expliqua la princesse, et dînait dans ses appartements privés. Adélaïde était également absente, et chaque fois qu'un nouveau convive pénétrait dans la pièce, elle tournait la tête dans sa direction avec anxiété. Mais Stella ne se montra pas. Où était-elle donc, bon sang ?

La table fut prestement débarrassée, et des sons de harpe s'élevèrent. Les inévitables pâtisseries apparurent, présentées en procession par les serviteurs inexpressifs.

Louise fut très vite incapable de se concentrer sur ces excès de desserts, de douceurs et de déploiement de mode. Enfin, peut-être pas en ce qui concernait la mode. C'était toujours aussi époustouflant. Mais elle ne pensait plus qu'à son rendez-vous avec Stella. Elle était plus que prête à rentrer chez elle.

— Excusez-moi, m'accorderez-vous cette danse ? demanda un moustachu en pourpoint brodé à la princesse de Lamballe, après lui avoir tapé sur l'épaule.

— Oui, répondit-elle en s'empourprant.

Elle accepta sa main tendue et le laissa la conduire sur la piste de danse désormais bondée.

Louise saisit cette occasion de se faufiler au-dehors. Elle sortit sur la terrasse. La nuit tombait et la lueur de la lune se reflétant dans les bassins offrait un magnifique éclairage au château.

Puis elle réalisa qu'elle n'était pas seule. Une main gantée de noir lui saisit le bras avec une fermeté surprenante.

— Suis-moi, murmura une voix derrière elle.

Louise fit volte-face et découvrit un visage pâle dissimulé sous la capuche d'une capote en velours foncé. Avant qu'elle ne puisse la reconnaître, la fille partit vivement vers les allées du jardin.

— Euh… Stella, c'est un peu flippant. On ne pourrait pas parler là où il y a un peu de lumière ?

La silhouette encapuchonnée lui fit signe de la suivre.

— Comme tu veux, soupira Louise en essayant de ne pas céder à la panique, avant de suivre son guide dans les ténèbres avec quelque hésitation.

Elles arrivèrent au milieu d'une clairière. La fille s'arrêta brutalement et baissa son capuchon. Mais ce n'était pas Stella !

— Je voulais que tu saches que j'ai dû envoyer Adélaïde en mission officielle à Vienne. Je crois qu'elle m'espionnait, déclara Marie-Antoinette.

— Quoi ? Qu'as-tu fait ? s'écria Louise, abasourdie, en réalisant que son unique lien avec sa vraie vie venait d'être exclu de Versailles. Mais… mais pourquoi ?

— Elle s'est comportée d'une manière très étrange ces derniers temps. Comme une parfaite étrangère ! À poser des questions sur les moindres détails des vêtements que j'ai achetés. Je crois qu'elle envoyait des rapports à ma mère. Les précisions qu'elle rapporte dans ses lettres prouvent qu'elle a l'oreille de quelqu'un qui m'est proche. Je n'ai jamais fait confiance à Adélaïde. Et j'ai besoin de pouvoir faire confiance à tous ceux de mon cercle intime. Puis-je te faire confiance, Gabrielle ? Tu es désormais mon amie la plus chère… n'est-ce pas ?

La question vibra dans l'air froid de la nuit, presque comme une menace.

— Bien sûr, bredouilla Louise, qui réfléchissait à toute vitesse.

Stella devait savoir où était la robe bleu-vert, et elle était partie !

— Mais il faut que je retrouve Adélaïde. Je suis sûre que tout cela est une vaste méprise.

— C'est peine perdue, révéla Marie-Antoinette avec un haussement d'épaules pour marquer son indifférence. Elle doit être pratiquement de l'autre côté de Paris, à cette heure.

— Je suis désolée, excuse-moi, je te prie, je… je dois y aller.

Louise repartit en courant vers le château. Il fallait absolument qu'elle retrouve Stella. Comment s'y prendre ? Et si elles étaient désormais toutes les deux prisonnières du passé pour toujours ? Elle s'arrêta dans sa course et demanda à l'un des gardes impassibles de l'entrée s'il avait vu Madame Adélaïde partir en carrosse. Il ne répondit pas et se contenta de la regarder d'un air impavide.

Louise reprit sa course et arriva devant la porte des appartements d'Adélaïde. Deux femmes de chambre défaisaient la literie en silence.

— Adélaïde est-elle ici ? s'enquit-elle, hors d'haleine.

— Non, Mademoiselle. Elle a dû partir d'urgence en Autriche. C'est une question diplomatique, au plus haut niveau.

Trop tard !

— Quand est-elle partie ? demanda-t-elle, fébrile.

— Avant le dîner. Mais elle vous a laissé ce message.

La servante lui tendit une missive scellée qui avait été déposée sur la table de chevet, adressée à la duchesse de Polignac, d'une écriture tarabiscotée. Elle l'ouvrit immédiatement, les mains tremblantes.

Louise,

Ainsi commençait le mot, d'une calligraphie d'ado peu soignée, très différente de la calligraphie sur l'enveloppe couleur crème. De toute évidence, le mot avait été écrit dans l'urgence. Une tache d'encre maculait le bas de la feuille.

Je te reverrai de l'autre côté. Sois prudente, on nous soupçonne ! La dauphine ne fait confiance à personne. La révolution doit avoir lieu. Il est temps de remettre les pendules à l'heure, avant qu'il ne soit trop tard.

Mais comment retournerait-elle de l'autre côté sans sa robe ? Pourquoi Stella ne la lui avait-elle pas laissée, au lieu de ce mot incompréhensible ? Louise se prit la tête dans les mains et s'assit au pied du lit. Que voulait-elle dire, avec cette histoire de remettre les pendules à l'heure ? Les pendules n'avaient rien à voir là-dedans ! Elle laissa courir son regard dans la pièce et s'arrêta sur une pendule dorée sous cloche, placée sur le manteau de la cheminée. Serait-ce un indice ? Elle se précipita vers la cheminée et souleva délicatement la pendule, espérant trouver un nouveau message en dessous. Rien. Louise s'affala par terre dans un bouillonnement de tissu rose, découragée.

Puis elle aperçut un minuscule fragment de couleur bleu-vert qui dépassait du bas du rideau de la cheminée. Elle le releva frénétiquement et découvrit derrière sa robe roulée en boule n'importe comment. Oh, elle l'aurait embrassée ! Stella lui avait donc laissé un message ! Une Fashionista Voyageuse, qui prenait soin de sa consœur...

La robe magique dans ses mains, Louise ne sut soudain plus que faire. Avait-elle accompli quoi que ce soit pendant ce voyage ? Elle n'avait pas l'impression d'avoir fait prendre conscience à Marie-Antoinette des dures conditions de vie de son peuple. Cependant elle savait que plus elle restait, plus cela devenait risqué. Peut-être Stella avait-elle raison quand elle écrivait que la révolution était inévitable et nécessaire, et que les Français avaient besoin de changement.

Louise entendit un glapissement de chien et des crissements de petites griffes sur le marbre du couloir. À peine un instant plus tard, Macaron poussa la porte du bout de sa truffe et se précipita sur elle, sautant sur la robe et commençant à tirer sur le tissu en soie.

— Assez ! fit-elle en riant en essayant de dégager la robe des mâchoires étonnamment puissantes du petit animal.

Mais Macaron se mit à tirer avec énergie et Louise se retrouva à lutter avec un shi tzu miniature gâté pourri.

— Lâche ça ! chuchota Louise aussi gentiment qu'elle pouvait, à travers sa mâchoire serrée.

Le chien se mit à grogner.

— Macaron ! héla une voix haut perchée familière. Où es-tu, mon joli ?

La petite bête pointa l'oreille, s'arrêta puis se dirigea vers la porte. Louise récupéra sa robe. Enfin prête à partir !

— Macaron !

La voix de la dauphine se rapprochait. Le chien jappa avec excitation dans la pièce. Louise se débarrassa à toute vitesse de sa robe rose en la déchirant au passage, et enfila la robe vert d'eau sans perdre une seconde. Elle venait à peine d'en ajuster le corset quand la poignée de la porte tourna. Marie-Antoinette pénétra dans la pièce, toujours vêtue de sa capote.

— Coucou, mon petit…

Louise plongea son regard dans les yeux bleus surpris de la dauphine avant d'avoir l'impression que le parquet s'ouvrait devant elle et d'être aspirée sur-le-champ, tombant et tombant encore au milieu d'un tas de jupons.

Un flot d'images défila devant Louise durant sa chute, comme des plans fixes tirés d'un film en 3D. Marie-Antoinette en sueur, épuisée dans son lit, à qui l'on tendait un bébé hurlant, entourée d'une foule de gens qui l'étouffaient. Des femmes enragées arrivant devant les grilles de Versailles armées de couperets. Une Marie-Antoinette plus âgée, terrifiée, s'échappant par la porte dérobée à côté de son lit, puis la reine de France décharnée, à bout, vêtue d'une robe grossière, assise seule sur le lit d'une cellule de prison. Le beau visage de la princesse de Lamballe flottant dans l'espace, séparé de son corps. Une Marie-Antoinette à peine reconnaissable, frêle comme une vieille dame, en chemise de nuit blanche, trébuchant sur les marches qui la mènent à sa mort certaine. Puis Louise vit le château

en flammes, le feu s'échappant par les fenêtres, la façade en marbre s'écroulant pulvérisée au sol.

Louise eut peur de mourir le cœur brisé avant de se réveiller. Elle entendit le bruit de la guillotine, et sentit le vent de la lame qui s'abattait. Avant qu'elle ne puisse hurler, elle ouvrit les yeux.

« Il n'y a rien qui soit nouveau,
à part ce qui a été oublié. »

MARIE-ANTOINETTE
Reine de France
de 1774 à 1792

CHAPITRE 33

Louise se réveilla le cœur battant, la tête enfouie dans une crinoline. Elle éternua, irritée par le tissu qui lui chatouillait le nez et entendit le murmure de voix familières. Que lui était-il arrivé ? Combien de temps était-elle restée là ?

Elle avait mal à la tête, et dut essuyer un filet humide sur sa joue gauche. Avait-elle pleuré dans son sommeil ? Elle était étendue sur une sorte de fauteuil-chaise longue de l'époque victorienne, l'os de sa hanche appuyant douloureusement sur une structure compliquée. Elle découvrit qu'elle était vêtue de la robe vert d'eau, un peu fanée et usée. Un flot de souvenirs des événements récents l'envahit.

— Hmmm… euh, il y a quelqu'un ? appela-t-elle avec hésitation.

Sa voix était faible, mais elle avait l'air normale. Elle parlait anglais, c'était sûr, pas français. Et elle était sûre aussi d'être redevenue elle-même.

— Où est cette autre chaussure ? entendit-elle en guise de réponse. Elle est quelque part dans la cheminée, je le sais. Elles lui iraient à ravir !

Louise se releva tant bien que mal et essaya de reprendre ses esprits. Elle était revenue dans le cottage en pierre, de nouveau entourée de portants de robes vintage, de fourrures et de cartons à chapeaux rayés en piles vacillantes.

— Je suis là ! appela-t-elle.

Avaient-elles oublié son existence, ou quoi ? À peine s'était-elle posé la question que les deux vendeuses firent tout de suite leur apparition.

— Notre Fashionista a fini par se réveiller ! s'exclama Glenda en lui lançant un clin d'œil.

Elle tenait une paire de mules Ferragamo rouge rubis pour lui faire essayer.

— Nous avons pensé qu'elles vous iraient parfaitement. Pas dans cette robe, bien sûr, fit Glenda en secouant la tête avec désapprobation devant la robe française du XVIIIe siècle portée par Louise. Ce serait un faux pas mode.

— Pourquoi ne remettriez-vous pas donc ceci ? proposa Marla en tendant à Louise son gilet bleu marine et sa robe Betsey Johnson à fleurs roses et blanches, couverte de taches d'herbe après sa chute sur la pelouse devant la maison.

Pas de crinoline ni de corset à faire vomir. Ouf, Louise était bien de retour au XXIe siècle. Le sien.

— Que m'est-il arrivé ? demanda-t-elle, incrédule après son aventure.

Elle sourit en se cramponnant à son gilet Anthropologie comme à un nounours, hyper soulagée de retrouver sa vie normale.

— Il semblerait que vous ayez eu une petite commotion à bicyclette avant d'arriver à la boutique. Une bosse sur la tête.

— Vous vous remettrez en un rien de temps, la rassura Marla.

— Intoxication alimentaire, commotion… taquina Brooke en se laissant tomber sur un fauteuil à côté d'elle, en plein sur la robe.

Louise avait presque oublié la présence de son amie à la vente.

— On dirait que ta fixette pour le vintage commence à devenir un peu dangereuse, gloussa-t-elle.

— Absolument pas ! se récria Glenda, sur la défensive.

— Je suis désolée, dit Louise en prenant la main de Brooke. J'aurais dû te dire que je venais à la vente. Nous allons toujours faire du shopping ensemble et j'ai brisé notre pacte.

Au bord des larmes, Louise avait le cœur gros. Elle réalisa enfin en le disant tout haut à quel point elle s'en voulait.

— Ne t'inquiète pas, répondit Brooke. Et puis, je crois que je commence à en apprendre un peu sur le style vintage.

Elle serra son amie dans ses bras et brandit devant elle sa main chargée d'une énorme bague de cocktail jaune brillante.

— Qu'en penses-tu ? C'est trop ?

Louise eut un flashback : Marie-Antoinette et sa coiffure poudrée gigantesque. Elle dut s'allonger de nouveau. C'était sans doute pour cela qu'à l'époque victorienne on avait fabriqué ces fauteuils, les femmes corsetées s'évanouissaient pour un oui ou pour un non !

— Non, elle est parfaite. Je n'en ai jamais vu une comme ça, dit-elle... avec une sensation de déjà-vu.

Elle avait de bizarres démangeaisons dans la tête. Et fut bouche bée quand elle extirpa une petite pince bijou de son chignon frisotté. Ce diamant miniature ne lui appartenait pas, elle en était sûre. C'était plutôt du style de Gabrielle.

— Tu viens de rater la fille incroyable qui était là. Vous auriez eu beaucoup de choses à partager, continua Brooke en retirant la bague et en la déposant négligemment sur le sofa. Elle est pratiquement aussi obsédée par le vintage que toi. Vous seriez certainement de bonnes amies, ajouta-t-elle avec un peu de tristesse dans la voix.

— Oui, je suis certaine que Stella et vous auriez plein de choses à vous dire ! intervint Marla d'un regard sévère, tout en ramassant des vêtements éparpillés par terre. Celle-ci crut apercevoir une manche de la robe d'Adélaïde dans la brassée de celles ramassées par Marla.

Eh, attendez un peu… Stella était ici, et elle l'avait ratée ?

Elle jeta un coup d'œil à son amie qui envoyait un texto d'un air réjoui, et se rendit compte que Brooke était parfaitement satisfaite de sa vie telle qu'elle était. Elle n'éprouvait pas, comme Louise, l'impression qu'il lui manquait quelque chose. Ce désir d'une autre vie, d'un autre temps, d'une autre histoire. Elles seraient toujours différentes sur ce point.

— Comment puis-je la contacter ? Vous avez son adresse mail ? Ou son nom de famille ? Est-elle sur Facebook ? s'excita Louise.

Il fallait absolument qu'elle revoie Stella ! C'était la seule personne qui la comprendrait. Et elle voulait d'autres réponses.

— Qu'est-ce donc que ce « Facebook », Dieu du ciel ? s'écria Glenda, intriguée. Et avons-nous l'air d'être des gens qui ont une adresse mail ?

Elle gesticula vers Marla, visiblement épuisée, qui avait renoncé à plier les vêtements qu'elle avait ramassés et décidé de les fourrer derrière un bambou en pot.

— Nous devrions y aller, annonça Louise une fois qu'elle eut remis sa robe à fleurs, son gilet et ses Converse roses adorées.

Apparemment, il lui faudrait découvrir toute seule l'identité de sa collègue Fashionista Voyageuse. Par bonheur, elle était plutôt douée pour surfer sur Internet.

Elle finirait bien par trouver Stella, d'une manière ou d'une autre.

— Laissez-moi vous donner un sac, proposa Glenda en prenant la robe délicate des mains de Louise.

Puis elle l'enveloppa avec adresse pour en faire un gros baluchon, qu'elle accrocha au bout d'un bâton en bambou pris directement dans le pot où poussait la plante.

— Routard chic, déclara-t-elle. Notre nouvelle tendance !

— Vous voulez dire que je peux l'avoir ? s'étonna Louise, qui avait presque peur de l'emporter. N'a-t-elle pas une grande valeur ?

— Nous savons que vous en prendrez le plus grand soin. Elle n'aurait pas pu trouver meilleur foyer, ou meilleur dressing, affirma Glenda avec un sourire de fierté.

— Merci, répondit Louise.

Elle avait trop de chance ! Retrouver sa vraie vie, avec en prime une robe ancienne somptueuse à ajouter à sa collection !

— Une petite douceur avant de partir ? proposa Marla.

Elle leur présenta une assiette de cookies faits maison, qui semblaient sortir de nulle part (ou d'un carton à chapeaux quelconque ?).

— J'ai eu ma dose de sucreries pour un moment, déclina Louise en repensant à ses orgies de gâteaux à Versailles, alors que Brooke se servit sans rechigner un cookie aux pépites de chocolat. Tout ce sucre que je viens d'ingurgiter explique sans doute mon mal de crâne phénoménal.

Elle aurait pu jurer entendre glousser les deux femmes en aparté.

— Eh bien, nous espérons que votre visite vous a plu ! Venez donc nous revoir bientôt, je vous en prie, car vous savez que nous découvrons constamment de nouveaux stocks fabuleux de vêtements et d'accessoires. Et saluez votre charmante mère pour nous !

— Ne vous inquiétez pas, je reviendrai. Euh, je veux dire… nous reviendrons, assura Louise en souriant à Brooke.

Elle se sentit soudain libérée de son mal de tête. Elle était trop contente d'être de retour à Fairview, en compagnie de sa meilleure amie ! Les deux filles quittèrent la maison et humèrent l'air frais de l'après-midi de printemps. Louise enfourcha sa bicyclette un peu éraflée mais en parfait état de marche, échouée dans l'herbe à côté du vélo brillant à dix vitesses de Brooke, et elles repartirent en direction de leurs maisons, la traîne de la robe vert d'eau voletant dans le vent derrière elles.

CHAPITRE 34

Louise avait effectivement une très légère commotion. Mme Lambert examina la bosse rouge sur la tempe de sa fille et appela immédiatement le Dr Jacobs pour lui demander de passer. Quand il arriva, sa tenue prouvait qu'il avait été interrompu en pleine partie de golf : polo turquoise et pantalon à carreaux. Il prescrivit à Louise de rester au lit jusqu'à la fin de l'après-midi. Après la journée qu'elle venait de passer, elle n'allait pas protester ! De plus, elle aurait ainsi le temps de faire des recherches sur ce qu'elle avait vu. Elle ouvrit son ordinateur et le dissimula sous le plaid en patchwork de sa grand-mère pour que sa mère ne la surprenne pas si elle venait la surveiller alors qu'elle était censée dormir. Il fallait qu'elle trouve tout ce qu'elle pouvait sur Marie-Antoinette et la Révolution française.

À L'ÂGE DE QUATORZE ANS, MARIE-ANTOINETTE FUT CONDUITE EN CARROSSE ROYAL DE CHEZ ELLE EN

Autriche jusqu'en France où il avait été arrangé qu'elle épouserait Louis Auguste de France. Quand la voiture arriva à mi-chemin, après un pont traversant le Rhin, considéré comme territoire neutre, on la conduisit dans de luxueux appartements, où on la dévêtit complètement de ses vêtements autrichiens. On lui retira aussi tous ses accessoires, et on lui enleva également Mops, le chien qu'elle avait eu toute son enfance. On lui fournit alors une robe française, des bas et des bijoux. Dès lors on l'obligea à jurer fidélité envers son nouveau pays, et tout objet autrichien en sa possession serait considéré comme acte de trahison.

Louise sentit ses cheveux se dresser sur sa tête. La scène lui rappela le rêve angoissant qu'elle avait fait la nuit précédant son aventure dans le temps, où les femmes dans les bois lui mettaient la belle robe bleu-vert et détruisaient ses vieux vêtements. Comme si elle avait elle-même vécu l'expérience du voyage terrifiant de Marie-Antoinette, de son enfance en Autriche vers sa vie future en France. Elle reprit sa lecture.

Le 16 mai 1770, Marie-Antoinette et Louis XVI se marièrent lors d'une cérémonie sophistiquée à

LA CHAPELLE DE VERSAILLES, CE QUI FIT D'ELLE OFFICIEL-
LEMENT LA DAUPHINE DE FRANCE. ILS N'ÉTAIENT MARIÉS
QUE DEPUIS QUATRE ANS QUAND LOUIS XV MOURUT
BRUTALEMENT DE LA VARIOLE, FAISANT DE LOUIS XVI LE
ROI EN TITRE, ET DE MARIE-ANTOINETTE, AU JEUNE ÂGE
DE DIX-NEUF ANS, LA REINE DE FRANCE ET DE NAVARRE.
AU DÉBUT DE LEUR RÈGNE, LE PEUPLE FRANÇAIS FUT
SÉDUIT PAR SA BEAUTÉ, SON ÉLÉGANCE, SON STYLE ET
SA JEUNESSE, MAIS CETTE OPINION FAVORABLE CHANGEA
RAPIDEMENT DU TOUT AU TOUT. TRÈS VITE, SON MODE
DE VIE EXTRAVAGANT ET SES DÉPENSES EXCESSIVES FU-
RENT MÉPRISÉS ET IL SE RÉPANDIT LA RUMEUR QU'ELLE
ÉTAIT UNE TRAÎTRESSE ET ESPIONNE AUTRICHIENNE.

MARIE-ANTOINETTE DUT AUSSI SUBIR SA MÈRE AU-
TORITAIRE ET CRUELLE, QUI LUI ENVOYAIT FRÉQUEM-
MENT DE LONGUES LETTRES DE CRITIQUES DEPUIS
L'AUTRICHE, AIDÉE EN CELA PAR LES INFORMATIONS
SECRÈTES QUE LUI TRANSMETTAIT UN DIPLOMATE AU-
TRICHIEN, LE COMTE DE MERCY-ARGENTEAU, QUI
SURVEILLAIT LA REINE DE PRÈS. ON PENSE QUE CES
PRESSIONS DE LA PART DE SA MÈRE ET DU PEUPLE FRAN-
ÇAIS, AINSI QUE LE MANQUE DE SOUTIEN ET D'AFFINITÉS
AVEC SON MARI LOUIS XVI ONT CONDUIT MARIE-
ANTOINETTE À DÉPENSER ENCORE PLUS POUR SES VRAIES
PASSIONS : LES VÊTEMENTS, LES COIFFURES, LES CHAUS-
SURES, LE MAQUILLAGE, LE JEU ET LES DIVERTISSEMENTS.

Cela expliquait certainement les lettres acerbes de sa mère que Louise avait vues, qui bouleversaient tant Marie-Antoinette. Apparemment, il y avait vraiment quelqu'un qui l'espionnait, mais ce n'était pas Adélaïde ! D'ailleurs, qu'était-il arrivé à cette dernière ?

LA PRINCESSE MARIE-ADÉLAÏDE DE FRANCE ÉTAIT LA FILLE PRÉFÉRÉE DU ROI LOUIS XV. ELLE ÉTAIT D'UNE INTELLIGENCE EXCEPTIONNELLE, DOUÉE POUR LA MUSIQUE, ET EXCELLENTE CAVALIÈRE. CEPENDANT, ELLE ÉTAIT AUSSI EXTRÊMEMENT FIÈRE ET CONSIDÉRAIT QU'ELLE NE POURRAIT ÉPOUSER QUICONQUE D'UN RANG INFÉRIEUR AU SIEN. LE RÉSULTAT FUT QU'ELLE RESTA VIEILLE FILLE, AINSI D'AILLEURS QUE SES TROIS PLUS JEUNES SŒURS, DONT ELLE ÉTAIT TRÈS PROCHE. LE 6 OCTOBRE 1789 LA PRINCESSE ADÉLAÏDE ET SA FAMILLE FURENT OBLIGÉES DE FUIR VERSAILLES APRÈS L'ATTAQUE DU CHÂTEAU. ELLE VÉCUT LE RESTE DE SA VIE EN EXIL ET MOURUT DE MORT NATURELLE À L'ÂGE DE SOIXANTE-SEPT ANS, LA DERNIÈRE À AVOIR SURVÉCU À SES PARENTS ET SES FRÈRES ET SŒURS.

Louise ne put s'empêcher de sourire. Elle ne connaissait pas très bien Stella, mais cette femme semblait lui être très proche de caractère. Puis elle se concentra de nouveau sur sa lecture, même si elle savait que ce qui l'attendait allait être dur. Elle tapa « Marie-Antoinette, Révolution française, guillotine ».

LA FAMILLE ROYALE FUT ARRÊTÉE APRÈS UNE TEN-TATIVE DE FUITE RATÉE POUR QUITTER PARIS. MARIE-ANTOINETTE FUT EMPRISONNÉE ET JUGÉE POUR CRIMES CONTRE L'ÉTAT. SA CULPABILITÉ ÉTAIT DÉCI-DÉE D'AVANCE, ET LE PROCÈS NE FUT QU'UNE SIMPLE FORMALITÉ. ELLE N'EUT JAMAIS LA POSSIBILITÉ DE PLAI-DER SON INNOCENCE. LE 16 OCTOBRE 1793, LA REINE, PRATIQUEMENT MÉCONNAISSABLE, FUT EXHIBÉE DANS LES RUES DE PARIS, CHEVEUX COUPÉS, EN ROBE BLANCHE. ELLE FUT MENÉE À LA GUILLOTINE À TRENTE-SEPT ANS ET TUÉE DEVANT UNE FOULE EN COLÈRE.

La Révolution était nécessaire, Louise le savait. Les gens ne pouvaient plus vivre dans ces horribles conditions de pauvreté, mais elle ne pouvait cependant pas s'ôter de la tête l'image d'une adolescente rieuse qui essayait des robes et jouait avec son chien. Ah, si seulement les choses avaient pu être différentes ! Mais c'était impossible. Elle fit ensuite une recherche sur Gabrielle de Polignac, pour voir si la fidèle compagne avait connu un destin similaire. De plus, Louise se sentait très concernée, après son aventure.

LA TRÈS BELLE YOLANDE MARTINE GABRIELLE DE POLASTRON, DUCHESSE DE POLIGNAC, FAISAIT PARTIE DU CERCLE INTIME DE MARIE-ANTOINETTE ET ELLE ÉTAIT L'UNE DE SES PLUS PROCHES COMPAGNES. ELLE A VÉCU DANS DES APPARTEMENTS À VERSAILLES PENDANT QUATORZE ANS. À SON GRAND DÉSESPOIR, ON LUI ORDONNA, POUR SA PROPRE PROTECTION, DE QUITTER MARIE-ANTOINETTE ET D'ALLER SE CACHER AVEC SA FAMILLE EN SUISSE APRÈS LA PRISE DE LA BASTILLE LE 14 JUILLET 1789. GABRIELLE NE SE REMIT JAMAIS DE CETTE SÉPARATION ET TOMBA DANS UNE PROFONDE DÉPRESSION, MALADE D'ANGOISSE QUANT AU DESTIN DE SA MEILLEURE AMIE. APRÈS QU'ELLE EUT APPRIS LA TERRIBLE NOUVELLE DE LA MORT VIOLENTE DE MARIE-ANTOINETTE, SA SANTÉ DÉJÀ FRAGILE SE DÉTÉRIORA ET ELLE MOURUT À PEINE UN MOIS PLUS TARD, LE 9 DÉCEMBRE 1793. ON RACONTE QU'ELLE ÉTAIT MORTE LE CŒUR BRISÉ.

Louise retint un sanglot. Les livres d'histoire de collège étaient tellement abstraits. Elle commençait à être capable de percevoir le côté humain des événements. Comment aurait-elle géré ce genre de responsabilité à quatorze ans ? Elle aimait à penser qu'elle aurait été plus compréhensive et tournée vers les autres que Marie-Antoinette, mais qui aurait pu le savoir ? Quand on est arrachée à sa famille et à tout ce qui est familier à un si jeune âge ? Puis forcée d'épouser un homme étrange que l'on n'a jamais vu. Et avoir toujours quelqu'un à vos côtés pour vous apporter une nouvelle robe ou une madeleine toute chaude, vous détournant ainsi de ce qui se passait réellement au-delà des grilles dorées du château…

Louise commençait à accepter de ne pas avoir pu contrôler ce qui s'était déroulé des centaines d'années auparavant, mais elle pouvait se rattraper en ce qui concernait son récent comportement dans ce siècle-ci. Elle ouvrit le tiroir de sa table de nuit, décidée à s'excuser auprès de ses parents pour avoir été désagréable lorsqu'ils lui avaient annoncé qu'elle ne pourrait pas partir en voyage scolaire. Son papier à lettres monogrammé était rangé sous son carnet de croquis. Elle écarquilla les yeux quand elle y découvrit le dernier dessin qu'elle y avait fait. La robe bleu-vert dont elle avait rêvé était esquissée au crayon de couleur, et ressemblait presque trait pour trait à celle qu'elle avait essayée dans la boutique et qui désormais était accrochée dans son dressing. La même que celle qui l'avait transportée à Versailles.

Louise sortit du tiroir l'invitation à la prochaine vente des Fashionistas, que Glenda avait glissée subrepticement dans le baluchon de la robe quand Louise regardait ailleurs. Louise déplia la feuille de papier jaune épais. Une lettre sur une feuille de parchemin jaune pâle plus petite était pliée dans l'épaisse enveloppe portant leur sceau rouge sang inimitable. Elle la relut avec excitation.

Très chère Louise,

Ce que vous et vos collègues Fashionistas partagez est très spécial. Nous avons choisi chacune d'entre vous parce que vous comprenez la mode, l'histoire et par-dessus tout la connexion inextricable entre les deux. Vous avez vos amis, votre famille, et bientôt vous aurez vos sœurs Fashionistas. Nous espérons que vous continuerez à tirer des leçons du passé, à profiter du présent et vous habiller chaque jour comme si vous aviez rendez-vous avec votre destin. Parce que mes chéries, comme vous devriez le savoir mieux que d'autres, vous ne savez jamais où peut vous conduire votre journée...

Bisous, bisous,
Marla et Glenda

Louise sourit en réalisant qu'elle était désormais officiellement membre d'un groupe spécial de Fashionistas qui pensaient comme elle. D'une certaine manière, c'était ce dont elle avait toujours rêvé et elle était trop impatiente de rencontrer les autres filles qui s'étaient aussi engagées dans ces fabuleuses aventures. Elle referma son tiroir et descendit au rez-de-chaussée pour s'excuser de vive voix auprès de ses parents.

Vente vintage pour les Fashionistas Voyageuses

VENEZ NOUS RENDRE VISITE – SAMEDI UNIQUEMENT

Vêtements fabuleux
Accessoires somptueux
Et conseils mode gracieusement fournis

303 GATES LANE

de midi au crépuscule

INVITATION VALABLE POUR UNE PERSONNE
ET STRICTEMENT PERSONNELLE

CHAPITRE 35

Le samedi soir suivant, Louise arriva à la fête des treize ans de Brooke comme une actrice ou une aristocrate habituée à faire son entrée. Comme si elle commençait à porter en elle un peu de ses expériences passées... Après un dîner de dix plats sur le *Titanic* et une soirée officielle au château de Versailles, une fête chez les Patterson devenait beaucoup moins intimidante qu'auparavant. Elle était quand même un peu nerveuse à l'idée de revoir Todd, mais dans le bon sens.

Un peu plus tôt dans l'après-midi, Louise et Brooke avaient décoré la cave de guirlandes argentées et accroché des étoiles en carton recouvertes de papier alu. Les parents de Brooke avaient loué une boule disco, qui avait été fixée au plafond et dont les facettes en miroir projetaient des millions de petites réflexions dans toute la pièce. Elles avaient conçu une playlist spéciale pour la soirée, surtout de la musique pour danser, mais avec quelques bons gros slows, diffusée par l'i-Phone de Brooke branché sur une station d'accueil.

Louise avait décidé de ne pas porter la sublime robe vert d'eau, car rien qu'à l'idée de comprimer de nouveau ses épaules de nageuse dans le minuscule corset, elle en avait des frissons ! Et elle n'avait aucune envie de tomber dans les pommes pour atterrir le nez dans le bol de punch. De plus, Brooke avait bien précisé que par « soirée costumée » elle ne voulait pas dire bal costumé du XVIIIᵉ siècle. Elles avaient choisi ensemble une robe moins spectaculaire mais très jolie, près du corps et légèrement trapèze en bas, en dentelle lavande. Louise avait coiffé en arrière ses cheveux lissés au fer, qui renonçaient donc à frisotter… tant que personne ne lui transpirerait dessus. Elle s'était aussi vaporisé un peu du Chanel N° 5 de sa mère. Ce parfum floral français sophistiqué était comme un rappel secret de son aventure récente.

Todd traînait avec un groupe de garçons près de la table de ping-pong. Il arborait une cravate rayée bleu et blanc, nouée lâchement sur son polo bleu au-dessus de son baggy kaki pendouillant qui avait du mal à cacher le haut de son caleçon écossais. La version skater de la tenue de soirée. Il bavardait avec Matt Waters, son meilleur ami, mais fit signe à Louise en souriant, l'air vraiment content de la voir. Elle eut l'impression qu'il essayait de

lui dire quelque chose de loin, mais ce fut juste au moment où quelqu'un monta le son des haut-parleurs Bose
pour mieux entendre les Strokes.

— Quoi ? fit Louise en exagérant le mouvement de
ses lèvres pour qu'il comprenne.

Elle était sur le point de les rejoindre quand Brooke
l'arrêta en l'attrapant par le bras. Elle était superbe, en
robe cocktail à paillettes dorée très BCBG, avec des sandales à bride dorées assorties (mais pas trop quand même).
Elle s'était fait une queue-de-cheval très haute. Grâce à sa
terre de soleil MAC, elle rayonnait littéralement.

— Je voudrais te présenter mon cousin ! lança-t-elle
en la prenant par la main. Louise, je te présente Peter. Sa
famille vient d'arriver de Boston.

Louise leva les yeux et se sentit toute chose. Les cheveux châtains un peu bouclés de ce garçon, ses pommettes
bien dessinées lui étaient étrangement familiers.

— Je pensais que vous pourriez bien vous entendre,
tous les deux, ajouta Brooke en montrant son costume
trois-pièces gris anthracite, puis en extirpant d'un geste
coquin une vieille montre de gousset de la poche de sa
veste. On fabrique encore ce genre de truc, aujourd'hui ?
plaisanta-t-elle.

— Je ne crois pas, répondit-il en rangeant prestement
la montre toute ternie. C'est juste un objet que j'ai récu-
péré lors de l'un de mes voyages.

— Salut, bredouilla Louise, oubliant immédiatement sa toute nouvelle assurance.

Elle tripota nerveusement une boucle de ses cheveux aplatis.

— Cette montre est super. J'adore les objets anciens, reprit-elle.

— Oh, tu peux me croire, il le sait déjà, coupa Brooke. Vous allez avoir beaucoup de trucs à vous dire. De vieux trucs. Peter va être en quatrième à Fairview. Vous aurez tout le temps de papoter.

— Oui, je commence lundi, alors c'est cool que je connaisse des gens avant, dit-il en scrutant Louise intensément de ses yeux noisette pailletés de vert. C'est dur d'arriver quelque part et d'avoir à se débrouiller tout seul.

— Allez, viens, je vais te présenter d'autres gens, ordonna Brooke.

— Le haut du panier, j'en suis sûr, connaissant ma cousine, plaisanta Peter en prenant le bras de Brooke.

Il sourit à Louise par-dessus son épaule, révélant une fossette sur sa joue gauche.

— Je te verrai là-bas, dit Louise, les genoux flageolants alors qu'ils s'éloignaient.

Peter avait exactement la même fossette adorable que son flirt français du XVIIIᵉ siècle, le jardinier Pierre. Était-ce bien réel ?

— Tu me verras où ? demanda Todd.

Louise fit volte-face, surprise de le découvrir juste derrière elle, avec un grand sourire niais sur la figure, deux gobelets en plastique à la main.

— Nulle part, marmonna Louise, cramoisie.

— C'est trop dommage, se moqua-t-il. Limonade ? fit-il en lui tendant un verre.

— Oui, merci, accepta Louise en avalant une grosse gorgée d'un coup.

Elle remarqua avec satisfaction que Tiff n'était nulle part en vue.

— Hé, je voulais te parler depuis un moment. Je crois que j'ai trouvé un moyen pour toi d'aller à Paris. Je pourrais prendre une grosse valise, y faire des trous…

— Oh, ça va ! fit Louise en éclatant de rire. Je finirai bien par y aller un jour, de toute façon. Et puis je suis plutôt contente de rester chez moi pendant un petit moment. J'ai l'impression de ne pas avoir été là depuis un certain temps.

— Si tu le dis. Ou alors, on pourrait sortir manger des frites, un soir. C'est plutôt français, non ?

Il lui tapa sur le bras en rigolant avant de retourner à son ping-pong.

— Merci pour l'invitation… murmura-t-elle.

Était-ce la manière de Todd pour lui faire comprendre qu'il voulait sortir avec elle ? Plantée là avec son verre de limonade, elle chercha Peter des yeux dans la pièce bondée, mais il devait déjà être parti. Il faudrait qu'elle attende jusqu'à lundi pour voir ce qu'ils avaient vraiment *exactement* en commun. Et elle se dit fébrilement que ça pouvait être un tas de choses.

CHAPITRE 36

Louise ne pouvait pas dormir. Son rendez-vous potentiel avec Todd pour des frites était occulté par l'étrange sentiment de déjà-vu qui l'avait traversée quand elle avait rencontré Peter, le cousin de Brooke. Et elle ne pouvait pas non plus se débarrasser des images horribles de Marie-Antoinette et de la famille royale quand elle avait fait ses recherches sur son ordinateur.

Elle quitta son lit et alla dans son dressing pour ne pas réveiller ses parents, sa mère, surtout, qui avait le sommeil très léger. Elle cherchait ce qui pourrait le plus vite lui tomber sous la main et lui rappellerait son enfance rassurante, pour se changer les idées. Elle attrapa la vieille malle cabine de sa mère rangée dans un coin, avec un autocollant du drapeau britannique encore collé dessus, et la tira vers elle en la faisant racler sur le plancher. Elle retint sa respiration mais la maison resta silencieuse. Elle souleva alors le lourd couvercle. Elle sortit sa Barbie préférée, enveloppée dans un mouchoir blanc en papier, vêtue d'une robe de bal rose pâle à frou-frous avec une coupe courte punk, offerte par Louise, qui s'était déchaînée sur elle avec le sécateur de sa mère. La malheureuse Barbie punk avait perdu une chaussure rose en plastique. Louise fouilla dans la malle pour la retrouver, mais au lieu de cela, sa main palpa quelque chose de froid et de métallique sous une feuille de papier très fin.

Elle extirpa une longue chaîne en métal terni et eut le souffle coupé quand elle découvrit le bijou qui y était accroché : le portrait d'un caniche noir, dans un cadre ovale. Le même que celui que portaient Marla et Glenda ! Pourquoi était-il caché dans la vieille malle de sa mère ?

Elle sortit les Barbie style Malibu, les Ken, encore des mouchoirs en papier, et pour finir des raquettes de tennis Barbie qui terminèrent en tas à côté d'elle. Le fond de la malle était doublé d'un papier marron comme ceux des bouchers, qui avait l'air de se déchirer aux pliures. Sa mère la tuerait pour ça, c'était sûr, mais Louise le déchira, absolument persuadée qu'elle allait trouver quelque chose (quoi donc ? mystère…) en dessous. Elle soupira, déçue de ne découvrir qu'une paroi vide, mais soudain son doigt glissa sur une petite photo noir et blanc de sa mère, col-lée sur l'envers du papier.

Une Mme Lambert adolescente y était vêtue d'une longue robe blanche démodée avec plein de dentelle, munie d'une ombrelle. Elle souriait à l'appareil photo et autour de son cou Louise reconnut le pendentif caniche qu'elle tenait dans sa main. Mais sa mère n'aurait jamais porté une robe pareille ! Elle qui ne supportait pas les achats vintage de Louise ! Elle examina la photo de plus près. On aurait dit qu'une carriole à cheval passait dans la rue en arrière-plan de la photo pâlie. Pourtant les voitures existaient déjà depuis longtemps à cette époque...

— Louise, que fais-tu debout à une heure pareille ? Quel était ce bruit ?

Louise sursauta en entendant la voix inquiète de sa mère dans le couloir juste devant sa chambre.

Et elle se revit à Versailles, quand Stella lui avait demandé si elle aussi avait la mode dans ses gènes.

Elle sentit un coup de poing dans son estomac. Il y avait donc une raison pour qu'elle ait été choisie. Stella ne se trompait pas. C'était dans son sang. La décision avait été prise sans doute bien avant son premier achat dans une friperie. Louise était destinée à devenir une Fashionista. Et elle allait bientôt découvrir ce que cela signifiait exactement.

REMERCIEMENTS

Merci à Cindy Eagan et à sa fabuleuse et brillante équipe chez Poppy, tout particulièrement à Alison Impey, Pam Gruber, Lisa Sabater, Mara Lander et Christine Ma pour la magie de leur travail en coulisses. Mes remerciements éternels à mon agent Elisabeth Weed et à l'adorable Stephanie Sun de Weed Literary. Merci à Olatz Schnabel pour m'avoir fourni le bureau d'écrivain le plus propice à l'inspiration dont j'aurais pu rêver, et à Gill Conan pour avoir partagé avec moi sa passion et ses connaissances techniques de la mode vintage avec tant de générosité. Un grand merci à Adele Josovitz pour avoir été ma première lectrice et avoir fait ma pub officieuse dans les écoles de la région. Merci à Topaz Adizes pour son soutien, ses encouragements et sa pub vidéo magique. Merci à Lucinda Blumenfeld pour son travail créatif infatigable sur ce livre et à Justin Troust de Second Sight pour avoir créé un fantastique site Internet, www.timetravelingfashionista.com, où toutes les Fashionistas peuvent se connecter. Des remerciements tout particuliers à David Swanson, un grand ami et éditeur exceptionnel. Merci beaucoup à ma grand-mère pour avoir été la meilleure assistante de recherches dont on puisse rêver. La France n'aurait jamais été aussi drôle ou délicieuse sans toi !

Et surtout merci à toutes les fans Fashionistas dont les lettres et mails d'encouragement m'ont inspirée et incitée à continuer à écrire, même quand j'avais envie d'aller en shopping pour du vintage. Ce livre n'existerait pas sans vous ! Bises.

CE ROMAN
VOUS A PLU ?

DONNEZ VOTRE AVIS ET
RETROUVEZ L'AGENDA DES NOUVEAUTÉS
SUR LE SITE

www.Lecture-Academy.com

Vous adorez les aventures de Louise
et ses voyages dans le temps
sous le signe de la mode ?
Alors ne manquez pas

Sissi

Le Secret de l'archiduchesse

PLUS D'INFOS SUR CE TITRE
DÈS MAINTENANT SUR LE SITE

Dépôt légal 1ère publication juillet 2012

Composition Nord Compo
Imprimé en Espagne par Cayfosa
20.2879.3 – ISBN 978-2-01-202879-1
Édition 01 – juillet 2012

Loi n° 49-956 du 16 juillet 1949
sur les publications destinées à la jeunesse.